DIE SCHICHT FÜR SCHICHT LASAGNA-KOCHBUCH

Von der klassischen Bolognese bis zu kreativen vegetarischen Sorten. Über 100 köstliche Rezepte zum Schichten und Backen, perfekt für Familienessen und besondere Anlässe

Noah Haas

INHALTSVERZEICHNIS

EINFÜHRUNG

Willkommen beim ultimativen Leitfaden für die Welt der Lasagne! Dieses Kochbuch ist einem der beliebtesten italienischen Gerichte aller Zeiten gewidmet – der Lasagne. Egal, ob Sie ein erfahrener Koch oder ein Anfänger sind, dieses Kochbuch ist vollgepackt mit leicht verständlichen Rezepten, die Ihnen dabei helfen, köstliche Lasagne zuzubereiten, die Ihre ganze Familie lieben wird.

In diesem Buch finden Sie über 100 köstliche Lasagne-Rezepte, die Sie auf eine Reise voller Aromen und Texturen mitnehmen. Von klassischen Tomaten- und Fleischlasagnen bis hin zu vegetarischen und glutenfreien Optionen ist für jeden ein Rezept dabei. Aber das ist noch nicht alles – wir zeigen Ihnen auch, wie Sie einzigartige und kreative Lasagnen kreieren, die Ihre Gäste beeindrucken und nach mehr betteln lassen.

Was dieses Kochbuch auszeichnet, ist unser Fokus auf die Schichtung. Wir glauben, dass der Schlüssel zu einer großartigen Lasagne im Schichtungsprozess liegt. Jede Schicht sollte sorgfältig verarbeitet werden, um eine harmonische Balance von Aromen und Texturen zu schaffen. In diesem Buch verraten wir Ihnen unsere Geheimnisse für die Herstellung perfekter Lasagne-Schichten, damit Sie Ihr Lasagne-Spiel auf die nächste Stufe bringen können.

Wenn Sie also bereit sind, mit dem Schichten zu beginnen und die ultimative Lasagne zu kreieren, dann fangen wir mit dem Kochen an!

1. Lasagne in einer Tasse

Zutaten:

- 2 Nudel-Lasagne-Blätter, servierfertig
- 6 Unzen. Wasser
- 1 Teelöffel Olivenöl oder Kochspray
- 3 Esslöffel Pizzasauce
- 4 Esslöffel Ricotta oder Hüttenkäse
- 3 Esslöffel Spinat
- 1 Esslöffel Cheddar-Käse
- Optional: 2 Esslöffel Brühwurst

Richtungen:

a) Zerbrechen Sie die Lasagneblätter und legen Sie sie richtig in den Becher.

b) Mit Olivenöl besprühen, verhindert ein Anhaften.

c) Lasagne mit Wasser bedecken.

d) 3–4 Minuten in der Mikrowelle kochen, bis die Nudeln zart aussehen.

e) Entfernen Sie das Wasser und legen Sie die Nudeln beiseite.

f) In denselben Becher Pizzasauce geben und ein paar Nudelstücke hineingeben.

g) Spinat, Ricotta und Wurst in Schichten hinzufügen.

h) Den Cheddar-Käse darüber streuen.

i) Setzen Sie die Schichten erneut fort, beginnend mit den Nudeln.

j) In die Mikrowelle stellen und mit einer mikrowellengeeigneten Abdeckung oder einem Papiertuch abdecken, um Spritzer zu vermeiden.

k) 3 Minuten lang in der Mikrowelle garen oder bis die Lasagne durchgeheizt ist.

l) 1-2 Minuten abkühlen lassen und den Geschmack genießen.

2. Vegane Tofu-Lasagne

Ergibt 6 Portionen

Zutaten

- 12 Unzen Lasagne-Nudeln
- 1 Pfund fester Tofu, abgetropft und zerbröselt
- 1 Pfund weicher Tofu, abgetropft und zerbröselt
- 2 Esslöffel Nährhefe
- 1 Teelöffel frischer Zitronensaft
- 1 Teelöffel Salz
- 1/4 Teelöffel frisch gemahlener schwarzer Pfeffer
- 3 Esslöffel gehackte frische Petersilie
- 1/2 Tasse veganer Parmesan oderParmasio
- 4 Tassen Marinara-Sauce

Richtungen

a) Heizen Sie den Ofen auf 350 °F vor.

b) In einem Topf mit kochendem Salzwasser die Nudeln bei mittlerer bis hoher Hitze kochen, dabei gelegentlich umrühren, bis sie gerade al dente sind, etwa 7 Minuten.

c) In einer großen Schüssel den festen und den weichen Tofus vermischen. Nährhefe, Zitronensaft, Salz, Pfeffer, Petersilie und 1/4 Tasse Parmesan hinzufügen. Mischen, bis alles gut vermischt ist.

d) Eine Schicht Tomatensauce auf den Boden einer 9 x 13 Zoll großen Auflaufform geben. Mit einer Schicht gekochter Nudeln belegen.

e) Die Hälfte der Tofu-Mischung gleichmäßig auf den Nudeln verteilen. Wiederholen Sie den Vorgang mit einer weiteren Schicht Nudeln, gefolgt von einer Schicht Soße.

f) Die restliche Tofu-Mischung auf der Soße verteilen und mit einer letzten Schicht Nudeln und Soße abschließen. Mit der restlichen 1/4 Tasse Parmesan bestreuen. Wenn noch Soße übrig ist, bewahren Sie diese auf und servieren Sie sie heiß in einer Schüssel neben der Lasagne.

g) Mit Folie abdecken und 45 Minuten backen. Deckel abnehmen und 10 Minuten länger backen.

h) Vor dem Servieren 10 Minuten ruhen lassen.

3. Butternuss-Kürbis-Lasagne

Ergiebigkeit: 12 Portionen
Gesamtzeit: 1 Stunde
Schwierigkeit: Mittel

Zutaten

- 9 Lasagne-Nudeln, gekocht
- 5 Tassen warmes, gewürztes Kartoffelpüree,
- 2 (12 Unzen) Packungen Butternusskürbis
- 1 1/2 Tassen Ricotta-Käse
- 1 Teelöffel Zwiebelpulver
- 1/2 Teelöffel Muskatnuss
- 1 Teelöffel Salz
- 1/2 Teelöffel schwarzer Pfeffer
- 1 Tasse Röstzwiebeln

Richtungen:

a) Heizen Sie den Ofen auf 350 °F vor.
b) Beschichten Sie eine 9 x 13 Zoll große Auflaufform mit Kochspray.
c) Kartoffeln, Butternusskürbis, Ricotta, Zwiebelpulver, Muskatnuss, Salz und schwarzen Pfeffer in einem großen Rührbecken vermischen.
d) Legen Sie 3 Nudeln auf den Boden der vorbereiteten Auflaufform.
1/3 der Kartoffelmischung auf den Nudeln verteilen. Wiederholen Sie die Schichten noch zweimal.
e) 45 Minuten mit Alufolie darüber backen; Entfernen Sie die Folie und backen Sie sie weitere 8 bis 10 Minuten lang oder bis sie braun und durchgewärmt sind.

4. Jungfrau-Lasagne

Für 2 Personen

Zutaten:

- 1 Pfund grasgefüttertes Rindfleisch, gemahlen
- 1 1/2 Tassen gewürfelte rote Paprika
- 1 Tasse rote Zwiebel, gewürfelt
- 1 25,5-Unzen-Gemüse-Nudelsauce, geteilt
- 1 Teelöffel Knoblauchsalz
- 1 Teelöffel getrockneter Oregano
- 4 Lasagne-Nudeln aus braunem Reis, gekocht
- 1 Esslöffel Kokosöl
- 1 Tasse Zucchini, gewürfelt
- 1 Tasse Brokkoli, gewürfelt
- 1 Tasse Babyspinat, gewürfelt
- 4 Knoblauchzehen, gehackt

Richtungen:

a) Heizen Sie den Ofen auf 350 Grad Fahrenheit vor.

b) In einer beschichteten Pfanne das Fleisch anbraten, bis es nicht mehr rosa ist.

c) Spaghettisauce, rote Paprika, Zwiebeln, Knoblauchsalz und Oregano in einer großen Rührschüssel vermischen. Legen Sie dies vorerst beiseite.

d) Erhitzen Sie das Öl in einer Pfanne und kochen Sie Zucchini, Brokkoli, Babyspinat und Knoblauch etwa 5 bis 8 Minuten lang.

e) Beginnen Sie mit dem Schichten der Lasagne in der 8x8-Backform wie folgt: Lasagne-Nudeln, Rindfleischmischung, Gemüsekombination, Nudelsauce, Lasagne-Nudeln, Rindfleischmischung, Gemüsemischung, Lasagne-Nudeln, Rindfleischmischung, Gemüsemischung und die restliche Spaghettisauce.

f) 35 Minuten backen oder bis es heiß ist und Blasen wirft.

5. Leckere Lasagne

Portionen: 4

Zutaten:

- 1 ½ Pfund zerkrümelte würzige italienische Wurst
- 5 Tassen im Laden gekaufte Spaghettisauce
- 1 Tasse Tomatensauce
- 1 Teelöffel italienisches Gewürz
- ½ Tasse Rotwein
- 1 Esslöffel. Zucker
- 1 Esslöffel. Öl
- 5 gehackte Knoblauchzehen
- 1 gewürfelte Zwiebel
- 1 Tasse geriebener Mozzarella-Käse
- 1 Tasse geriebener Provolone-Käse
- 2 Tassen Ricotta-Käse
- 1 Tasse Hüttenkäse
- 2 große Eier
- ¼ Tasse Milch
- 9 Nudeln Lasagne-Nudeln – parboiled
- ¼ Tasse geriebener Parmesankäse

Richtungen:

a) Ofen auf 375 Grad Fahrenheit vorheizen.

b) In einer Pfanne die zerbröckelte Wurst 5 Minuten anbraten. Eventuelles Fett sollte entsorgt werden.

c) In einem großen Topf Nudelsauce, Tomatensauce, italienische Gewürze, Rotwein und Zucker vermischen und gründlich verrühren.

d) In einer Pfanne das Olivenöl erhitzen. Dann den Knoblauch und die Zwiebel 5 Minuten lang anbraten.

e) Wurst, Knoblauch und Zwiebel in die Sauce geben.

f) Danach den Topf abdecken und 45 Minuten köcheln lassen.

g) In einer Rührschüssel den Mozzarella- und den Provolone-Käse vermischen.

h) In einer separaten Schüssel Ricotta, Hüttenkäse, Eier und Milch vermischen.

i) Gießen Sie in einer 9 x 13 großen Auflaufform 12 Tassen Soße auf den Boden der Form.

j) Ordnen Sie nun die Nudeln, die Soße, den Ricotta und den Mozzarella in drei Schichten in der Auflaufform an.

k) Parmesankäse darüber verteilen.

l) In einer abgedeckten Form 30 Minuten backen.

m) Nach dem Aufdecken der Form weitere 15 Minuten backen.

6. Spinat-Lasagne-Locken

Ergiebigkeit: 4 Portionen

Zutaten:

- 8 Vollkorn-Lasagne-Nudeln
- 1 Esslöffel Olivenöl
- 2 Knoblauchzehen, gehackt
- 3 Tassen frischer Babyspinat, gehackt
- 3/4 Tasse teilentrahmter Ricottakäse
- 2 Esslöffel geriebener Parmesankäse
- 1 1/2 Tassen natriumarme Tomatensauce, geteilt
- 1/2 Tasse teilentrahmter Mozzarella-Käse

Richtungen:

a) Heizen Sie den Ofen auf 375 Grad Fahrenheit vor. Bestreichen Sie eine 20 x 20 cm große Auflaufform mit Kochspray.

b) In einem großen Topf Wasser zum Kochen bringen. Lasagne-Nudeln wie auf der Packung angegeben kochen. Legen Sie die Nudeln zum Abkühlen auf Wachspapier.

c) In einer großen Bratpfanne das Öl bei mittlerer Hitze erhitzen. Nach dem Hinzufügen des Knoblauchs 30 Sekunden kochen lassen, dann den gehackten Spinat hinzufügen und 2 Minuten kochen lassen, oder bis er gerade zusammengefallen ist.

d) Den Spinat vom Herd nehmen und abkühlen lassen. Sobald der Ricotta und der Parmesan abgekühlt sind, vermengen.

e) Gießen Sie 1/2 Tasse Tomatensauce auf den Boden der Auflaufform.

f) Machen Sie die Lasagne-Spiralen, indem Sie 2 Teelöffel Spinatmischung auf die erste Lasagne-Nudel und 1 Esslöffel Tomatensauce darüber verteilen.

g) Beginnen Sie an einem Ende und rollen Sie die Nudeln spiralförmig von einem Ende zum anderen. Legen Sie die Lasagne mit der Nahtseite nach unten auf das vorbereitete Backblech.

h) Mit der restlichen Nudel-Spinat-Mischung wiederholen.

i) Die restliche 1/2 Tasse Tomatensauce über die Spiralen verteilen und mit Mozzarella-Käse belegen.

j) 15–20 Minuten backen oder bis der Käse vollständig geschmolzen ist. Genießen!

7. Auberginen-Lasagne

Für 4–6 Personen

ZUTATEN

- 2 große Auberginen, geschält und der Länge nach in Streifen geschnitten
- KokosnussÖl
- Salz und Pfeffer
- **FLEISCHSOßE**
- 2 Tassen fettarmer Bauernkäse
- 2 Eier
- 3 Frühlingszwiebeln, gehackt
- 1 Tasse geriebener fettarmer Mozzarella-Käse

RICHTUNGEN

a) Den Ofen auf 425 Grad vorheizen.

b) Backblech einölen und Auberginenscheiben anrichten. Mit Salz und Pfeffer bestreuen. Die Scheiben auf jeder Seite 5 Minuten backen. Senken Sie die Ofentemperatur auf 375 °C.

c) Zwiebeln, Fleisch und Knoblauch 5 Minuten in Kokosöl anbraten. Pilze und rote Paprika hinzufügen und 5 Minuten kochen lassen. Tomaten, Spinat und Gewürze hinzufügen und 5-10 Minuten köcheln lassen.

d) Mischen Sie die Bauernkäse-Ei-Zwiebel-Mischung. Ein Drittel der Fleischsauce auf dem Boden einer Glaspfanne verteilen. Eine Hälfte Auberginenscheiben und eine Hälfte Bauernkäse schichten. Wiederholen. Die letzte Schicht Soße hinzufügen und dann Mozzarella darüber geben.

e) Mit Folie abdecken. Eine Stunde bei 375 Grad backen. Folie entfernen und backen, bis der Käse gebräunt ist. Vor dem Servieren 10 Minuten ruhen lassen.

8. Polenta-Lasagne

ZUTATEN

- Antihaft-Kochspray
- 1 Tasse hochwertige Marinara-Sauce
- Etwa eine halbe Tube vorgekochte Polenta, in drei ½ Zoll dicke Scheiben schneiden
- 3 EL. plus 1 Teelöffel. geriebener Mozzarella-Käse

RICHTUNGEN:

a) Sprühen Sie die Innenseite eines 16-oz. Becher mit Kochspray.

b) Geben Sie ¼ Tasse Soße auf den Boden des Bechers, fügen Sie dann eine Runde Polenta und dann 1 EL hinzu. des Käses. Wiederholen Sie die Schichtung noch zweimal. Fügen Sie die restliche ¼ Tasse Soße und dann den restlichen 1 Teelöffel hinzu. Käse.

c) Abdecken und ca. 3 Minuten kochen lassen, bis es heiß ist.

9. Linsenlasagne

ZUTATEN:

- 1 Esslöffel Olivenöl.
- 1 Zwiebel, gehackt.
- 1 Karotte, in Scheiben geschnitten.
- 1 Selleriestange, gehackt.
- 1 Knoblauchzehe, zerdrückt.
- 2 x 400 g Dosen Linsen, abgetropft, abgespült.
- 1 Esslöffel Maismehl.
- 400 g Dose gehackte Tomaten.
- 1 Teelöffel Pilzketchup.
- 1 Teelöffel geschnittener Oregano (oder 1 Teelöffel getrocknet).
- 1 Teelöffel Gemüsebrühepulver.
- 2 Blumenkohlköpfe, in Röschen zerteilt.
- 2 Esslöffel ungesüßte Sojamilch.
- Eine Prise frisch geriebene Muskatnuss.
- 9 getrocknete, eifreie Lasagneblätter.

RICHTUNGEN:

a) Das Öl in einer Pfanne erhitzen, die Karotte, den Sellerie und die Zwiebel dazugeben und 10-15 Minuten lang vorsichtig kochen, bis sie weich sind. Fügen Sie den Knoblauch hinzu, kochen Sie ihn einige Minuten lang und rühren Sie dann die Linsen und das Maismehl unter.

b) Fügen Sie die Tomaten sowie eine Dose Wasser, den Pilzketchup, Oregano, Brühepulver und etwas Gewürze hinzu. 15 Minuten köcheln lassen, dabei gelegentlich umrühren.

c) Kochen Sie den Blumenkohl in einem Topf mit kochendem Wasser 10 Minuten lang oder bis er weich ist. Rohre abtropfen lassen, dann mit der Sojamilch mit einem Stabmixer oder einer Küchenmaschine pürieren. Gut würzen und die Muskatnuss hinzufügen.

d) Fügen Sie ein weiteres Drittel der Linsenmischung hinzu, verteilen Sie dann ein Drittel des Blumenkohlpürees darauf und legen Sie anschließend eine Schicht Nudeln darauf. Das letzte Drittel der Linsen und Lasagne darauf verteilen, gefolgt vom restlichen Püree.

e) Locker mit Folie abdecken und 35–45 Minuten backen, wobei die Folie für die letzten 10 Minuten des Garvorgangs weggelassen wird.

10. Rote Mangold-Spinat-Lasagne

Ergibt 6 Portionen

Zutat

- 12 Unzen Lasagne-Nudeln
- 1 Esslöffel Olivenöl
- 2 Knoblauchzehen, gehackt
- 8 Unzen frischer roter Mangold, harte Stiele entfernt und grob gehackt
- 9 Unzen frischer Babyspinat, grob gehackt
- 1 Pfund fester Tofu, abgetropft und zerbröckelt
- 1 Pfund weicher Tofu, abgetropft und zerbröckelt
- 2 Esslöffel Nährhefe
- 1 Teelöffel frischer Zitronensaft
- 2 Esslöffel gehackte frische glatte Petersilie
- 1 Teelöffel Salz
- 1⁄4 Teelöffel frisch gemahlener schwarzer Pfeffer
- 31⁄2 Tassen Marinara-Sauce

RICHTUNGEN:

a) In einem Topf mit kochendem Salzwasser die Nudeln bei mittlerer bis hoher Hitze kochen, dabei gelegentlich umrühren, bis sie gerade al dente sind, etwa 7 Minuten. Heizen Sie den Ofen auf 350 °F vor.

b) In einem großen Topf das Öl bei mittlerer Hitze erhitzen. Den Knoblauch hinzufügen und kochen, bis er duftet. Den Mangold dazugeben und unter Rühren ca. 5 Minuten kochen, bis er zusammengefallen ist. Fügen Sie den Spinat hinzu und kochen Sie ihn unter Rühren noch etwa 5 Minuten lang, bis er zusammengefallen ist. Abdecken und ca. 3 Minuten weich kochen. Aufdecken und zum Abkühlen beiseite stellen. Wenn das Gemüse kühl genug zum Anfassen ist, lassen Sie die restliche Feuchtigkeit vom Grün abtropfen und drücken Sie es mit einem großen Löffel an, um überschüssige Flüssigkeit herauszudrücken. Geben Sie das Grün in eine große Schüssel. Tofu, Nährhefe, Zitronensaft, Petersilie, Salz und Pfeffer hinzufügen. Mischen, bis alles gut vermischt ist.

c) Eine Schicht Tomatensauce auf den Boden einer 9 x 13 Zoll großen Auflaufform geben. Mit einer Schicht Nudeln belegen. Die Hälfte der Tofu-Mischung gleichmäßig auf den Nudeln verteilen. Wiederholen Sie den Vorgang mit einer weiteren Schicht Nudeln und einer Schicht Soße. Die restliche Tofu-Mischung auf der Soße verteilen und mit einer letzten Schicht Nudeln, Soße und Parmesan abschließen.

d) Mit Folie abdecken und 45 Minuten backen. Deckel abnehmen und 10 Minuten länger backen. Vor dem Servieren 10 Minuten ruhen lassen.

11. geröstete Gemüse Lasagne

Ergibt 6 Portionen

Zutat

- 1 mittelgroße Zucchini, in 1⁄4-Zoll-Scheiben geschnitten
- 1 mittelgroße Aubergine, in 1⁄4-Zoll-Scheiben geschnitten
- 1 mittelgroße rote Paprika, gewürfelt
- 2 Esslöffel Olivenöl
- Salz und frisch gemahlener schwarzer Pfeffer
- 8 Unzen Lasagne-Nudeln
- 1 Pfund fester Tofu, abgetropft, trocken getupft und zerbröselt
- 1 Pfund weicher Tofu, abgetropft, trocken getupft und zerbröselt
- 2 Esslöffel Nährhefe
- 2 Esslöffel gehackte frische glatte Petersilie
- 31⁄2 Tassen Marinara-Sauce, hausgemacht

RICHTUNGEN:

a) Heizen Sie den Ofen auf 425 °F vor. Zucchini, Aubergine und Paprika auf einer leicht geölten 9 x 13 Zoll großen Backform verteilen. Mit Öl beträufeln und mit Salz und schwarzem Pfeffer abschmecken. Das Gemüse ca. 20 Minuten rösten, bis es weich und leicht gebräunt ist. Aus dem Ofen nehmen und zum Abkühlen beiseite stellen. Senken Sie die Ofentemperatur auf 350 °F.

b) In einem Topf mit kochendem Salzwasser die Nudeln bei mittlerer bis hoher Hitze kochen, dabei gelegentlich umrühren, bis sie gerade al dente sind, etwa 7 Minuten. Abtropfen lassen und beiseite stellen. In einer großen Schüssel den Tofu mit der Nährhefe, Petersilie sowie Salz und Pfeffer nach Geschmack vermischen. Gut mischen.

c) Zum Zusammenstellen eine Schicht Tomatensauce auf dem Boden einer 9 x 13 Zoll großen Auflaufform verteilen. Die Soße mit einer Schicht Nudeln belegen. Die Nudeln mit der Hälfte des gerösteten Gemüses belegen und dann die Hälfte der Tofu-Mischung auf dem Gemüse verteilen. Wiederholen Sie den Vorgang mit einer weiteren Schicht Nudeln und geben Sie noch mehr Soße darüber. Wiederholen Sie den Schichtvorgang mit der restlichen Gemüse-Tofu-Mischung und schließen Sie mit einer Schicht Nudeln und Soße ab. Parmesan darüber streuen.

d) Abdecken und 45 Minuten backen. Deckel abnehmen und weitere 10 Minuten backen. Aus dem Ofen nehmen und vor dem Schneiden 10 Minuten ruhen lassen.

12. Lasagne mit Radicchio und Pilzen

Ergibt 6 Portionen
Zutat

- 1 Esslöffel Olivenöl
- 2 Knoblauchzehen, gehackt
- 1 kleiner Kopf Radicchio, zerkleinert
- 8 Unzen Cremini-Pilze, leicht abgespült, trocken getupft und in dünne Scheiben geschnitten
- Salz und frisch gemahlener schwarzer Pfeffer
- 8 Unzen Lasagne-Nudeln
- 1 Pfund fester Tofu, abgetropft, trocken getupft und zerbröselt
- 1 Pfund weicher Tofu, abgetropft, trocken getupft und zerbröselt
- 3 Esslöffel Nährhefe
- 2 Esslöffel gehackte frische Petersilie
- 3 Tassen Marinara-Sauce, hausgemacht

RICHTUNGEN:

a) In einer großen Pfanne das Öl bei mittlerer Hitze erhitzen. Knoblauch, Radicchio und Pilze hinzufügen. Abdecken und unter gelegentlichem Rühren ca. 10 Minuten kochen, bis es weich ist. Mit Salz und Pfeffer abschmecken und beiseite stellen

b) In einem Topf mit kochendem Salzwasser die Nudeln bei mittlerer bis hoher Hitze kochen, dabei gelegentlich umrühren, bis sie gerade al dente sind, etwa 7 Minuten. Abtropfen lassen und beiseite stellen. Ofen auf 350°F vorheizen.

c) In einer großen Schüssel den festen und weichen Tofu vermengen. Nährhefe und Petersilie dazugeben und gut verrühren. Die Radicchio-Pilz-Mischung untermischen und mit Salz und Pfeffer abschmecken.

d) Eine Schicht Tomatensauce auf den Boden einer 9 x 13 Zoll großen Auflaufform geben. Mit einer Schicht Nudeln belegen. Die Hälfte der Tofu-Mischung gleichmäßig auf den Nudeln verteilen. Wiederholen Sie den Vorgang mit einer weiteren Schicht Nudeln, gefolgt von einer Schicht Soße. Die restliche Tofu-Mischung darauf verteilen und mit einer letzten Schicht Nudeln und Soße abschließen. Die Oberseite mit gemahlenen Walnüssen bestreuen.

e) Mit Folie abdecken und 45 Minuten backen. Deckel abnehmen und 10 Minuten länger backen. Vor dem Servieren 10 Minuten ruhen lassen.

13. Lasagne Primavera

Ergibt 6 bis 8 Portionen

Zutat

- 8 Unzen Lasagne-Nudeln
- 2 Esslöffel Olivenöl
- 1 kleine gelbe Zwiebel, gehackt
- 3 Knoblauchzehen, gehackt
- 6 Unzen Seidentofu, abgetropft
- 3 Tassen einfache ungesüßte Sojamilch
- 3 Esslöffel Nährhefe
- 1⁄8 Teelöffel gemahlene Muskatnuss
- Salz und frisch gemahlener schwarzer Pfeffer
- 2 Tassen gehackte Brokkoliröschen
- 2 mittelgroße Karotten, gehackt
- 1 kleine Zucchini, der Länge nach halbieren oder vierteln und in 1⁄4-Zoll-Scheiben schneiden
- 1 mittelgroße rote Paprika, gehackt
- 2 Pfund fester Tofu, abgetropft und trocken getupft
- 2 Esslöffel gehackte frische glatte Petersilie
- 1⁄2 Tasse veganer Parmesan oderParmasio
- 1⁄2 Tasse gemahlene Mandeln oder Pinienkerne

RICHTUNGEN:

a) Heizen Sie den Ofen auf 350 °F vor. In einem Topf mit kochendem Salzwasser die Nudeln bei mittlerer bis hoher Hitze kochen, dabei gelegentlich umrühren, bis sie gerade al dente sind, etwa 7 Minuten. Abtropfen lassen und beiseite stellen.

b) Erhitzen Sie das Öl in einer kleinen Pfanne bei mittlerer Hitze. Zwiebel und Knoblauch dazugeben, abdecken und etwa 5 Minuten weich kochen. Geben Sie die Zwiebelmischung in einen Mixer. Seidentofu, Sojamilch, Nährhefe, Muskatnuss sowie Salz und Pfeffer nach Geschmack hinzufügen. Alles glatt rühren und beiseite stellen.

c) Brokkoli, Karotten, Zucchini und Paprika dünsten, bis sie weich sind. Vom Herd nehmen. Den festen Tofu in eine große Schüssel zerkrümeln. Petersilie und 1/4 Tasse Parmesan dazugeben und mit Salz und Pfeffer abschmecken. Mischen, bis alles gut vermischt ist. Das gedünstete Gemüse einrühren und gut vermischen. Bei Bedarf noch mehr Salz und Pfeffer hinzufügen.

d) Geben Sie eine Schicht der weißen Soße auf den Boden einer leicht geölten 9 x 13 Zoll großen Auflaufform. Mit einer Schicht Nudeln belegen. Die Hälfte der Tofu-Gemüse-Mischung gleichmäßig auf den Nudeln verteilen. Wiederholen Sie den Vorgang mit einer weiteren Schicht Nudeln, gefolgt von einer Schicht Soße. Die restliche Tofu-Mischung darauf verteilen und mit einer letzten Schicht Nudeln und Soße abschließen, abschließend mit der restlichen 1/4 Tasse Parmesan.Mit Folie abdecken und 45 Minuten backen.

14. Lasagne mit schwarzen Bohnen und Kürbis

Ergibt 6 bis 8 Portionen

Zutat

- 12 Lasagne-Nudeln
- 1 Esslöffel Olivenöl
- 1 mittelgroße gelbe Zwiebel, gehackt
- 1 mittelgroße rote Paprika, gehackt
- 2 Knoblauchzehen, gehackt
- 11⁄2 Tassen gekocht oder 1 (15,5 Unzen) Dose schwarze Bohnen, abgetropft und abgespült
- (14,5 Unzen) Dose zerkleinerte Tomaten
- 2 Teelöffel Chilipulver
- Salz und frisch gemahlener schwarzer Pfeffer
- 1 Pfund fester Tofu, gut abgetropft
- 3 Esslöffel gehackte frische Petersilie oder Koriander
- 1 (16 Unzen) Dose Kürbispüree
- 3 Tassen Tomatensalsa

RICHTUNGEN:

a) In einem Topf mit kochendem Salzwasser die Nudeln bei mittlerer bis hoher Hitze kochen, dabei gelegentlich umrühren, bis sie gerade al dente sind, etwa 7 Minuten. Abtropfen lassen und beiseite stellen. Heizen Sie den Ofen auf 375 °F vor.

b) In einer großen Pfanne das Öl bei mittlerer Hitze erhitzen. Die Zwiebel hinzufügen, abdecken und kochen, bis sie weich ist. Paprika und Knoblauch dazugeben und weitere 5 Minuten kochen, bis sie weich sind. Bohnen, Tomaten, 1 Teelöffel Chilipulver sowie Salz und schwarzen Pfeffer nach Geschmack hinzufügen. Gut vermischen und beiseite stellen.

c) In einer großen Schüssel Tofu, Petersilie, den restlichen 1 Teelöffel Chilipulver sowie Salz und schwarzen Pfeffer nach Geschmack vermischen. Beiseite legen. In einer mittelgroßen Schüssel den Kürbis mit der Salsa vermischen und gut verrühren. Mit Salz und Pfeffer abschmecken.

d) Verteilen Sie etwa ¾ Tasse der Kürbismischung auf dem Boden einer 9 x 13 Zoll großen Auflaufform. Mit 4 Nudeln belegen. Geben Sie die Hälfte der Bohnenmischung darauf, gefolgt von der Hälfte der Tofu-Mischung. Vier Nudeln darauflegen, dann eine Schicht Kürbismischung darauflegen, dann die restliche Bohnenmischung darauf verteilen und mit den restlichen Nudeln belegen. Verteilen Sie die restliche Tofu-Mischung auf den Nudeln, gefolgt von der restlichen Kürbismischung und verteilen Sie diese bis zum Rand der Pfanne.

e) Mit Folie abdecken und etwa 50 Minuten lang backen, bis es heiß und sprudelnd ist. Aufdecken, mit Kürbiskernen bestreuen und vor dem Servieren 10 Minuten ruhen lassen.

15. Mit Mangold gefüllte Manicotti

Ergibt 4 Portionen

Zutat

- 12 Manicotti
- 3 Esslöffel Olivenöl
- 1 kleine Zwiebel, gehackt
- 1 mittelgroßer Bund Mangold, harte Stiele abgeschnitten und gehackt
- 1 Pfund fester Tofu, abgetropft und zerbröckelt
- Salz und frisch gemahlener schwarzer Pfeffer
- 1 Tasse rohe Cashewnüsse
- 3 Tassen einfache ungesüßte Sojamilch
- 1/8 Teelöffel gemahlene Muskatnuss
- 1/8 Teelöffel gemahlener Cayennepfeffer
- 1 Tasse trockene, ungewürzte Semmelbrösel

RICHTUNGEN:

a) Heizen Sie den Ofen auf 350 °F vor. Eine 9 x 13 Zoll große Auflaufform leicht einölen und beiseite stellen.

b) In einem Topf mit kochendem Salzwasser die Manicotti bei mittlerer bis hoher Hitze unter gelegentlichem Rühren etwa 8 Minuten al dente kochen. Gut abtropfen lassen und unter kaltem Wasser laufen lassen. Beiseite legen.

c) In einer großen Pfanne 1 Esslöffel Öl bei mittlerer Hitze erhitzen. Fügen Sie die Zwiebel hinzu, decken Sie sie ab und kochen Sie sie etwa 5 Minuten lang, bis sie weich ist. Fügen Sie den Mangold hinzu, decken Sie ihn ab und kochen Sie ihn unter gelegentlichem Rühren etwa 10 Minuten lang, bis er weich ist. Vom Herd nehmen und den Tofu hinzufügen und gut vermischen. Mit Salz und Pfeffer abschmecken und beiseite stellen.

d) Mahlen Sie die Cashewnüsse in einem Mixer oder einer Küchenmaschine zu einem Pulver. Fügen Sie 11⁄2 Tassen Sojamilch, Muskatnuss, Cayennepfeffer und Salz nach Geschmack hinzu. Alles glatt rühren. Die restlichen 1 1⁄2 Tassen Sojamilch hinzufügen und cremig mixen. Abschmecken und bei Bedarf nachwürzen.

e) Eine Schicht Soße auf den Boden der vorbereiteten Auflaufform streichen. Füllen Sie etwa 1⁄3 Tasse Mangoldfüllung in die Manicotti. Die gefüllten Manicotti in einer Schicht in der Auflaufform anrichten. Die restliche Soße über die Manicotti geben. In einer kleinen Schüssel die Semmelbrösel und die restlichen 2 Esslöffel Öl vermischen und über die Manicotti streuen. Mit Folie abdecken und etwa 30 Minuten lang backen, bis es heiß und sprudelnd ist. Sofort servieren.

16. Spinat-Manicoti

Ergibt 4 Portionen

Zutat

- 12 Manicotti
- 1 Esslöffel Olivenöl
- 2 mittelgroße Schalotten, gehackt
- 2 (10-Unzen) Packungen gefrorener, gehackter Spinat, aufgetaut
- 1 Pfund extrafester Tofu, abgetropft und zerkrümelt
- 1/4 Teelöffel gemahlene Muskatnuss
- Salz und frisch gemahlener schwarzer Pfeffer
- 1 Tasse geröstete Walnussstücke
- 1 Tasse weicher Tofu, abgetropft und zerkrümelt
- 1/4 Tasse Nährhefe
- 2 Tassen einfache ungesüßte Sojamilch
- 1 Tasse trockene Semmelbrösel

RICHTUNGEN:

a) Heizen Sie den Ofen auf 350 °F vor. Eine 9 x 13 Zoll große Auflaufform leicht einölen. In einem Topf mit kochendem Salzwasser die Manicotti bei mittlerer bis hoher Hitze unter gelegentlichem Rühren etwa 10 Minuten al dente kochen. Gut abtropfen lassen und unter kaltem Wasser laufen lassen. Beiseite legen.

b) In einer großen Pfanne das Öl bei mittlerer Hitze erhitzen. Fügen Sie die Schalotten hinzu und kochen Sie sie etwa 5 Minuten lang, bis sie weich sind. Drücken Sie den Spinat aus, um so viel Flüssigkeit wie möglich zu entfernen, und geben Sie ihn zu den Schalotten. Mit Muskatnuss, Salz und Pfeffer abschmecken und 5 Minuten kochen lassen, dabei umrühren, um die Aromen zu vermischen. Den extrafesten Tofu dazugeben und gut verrühren. Beiseite legen.

c) Verarbeiten Sie die Walnüsse in einer Küchenmaschine, bis sie fein gemahlen sind. Den weichen Tofu, Nährhefe, Sojamilch sowie Salz und Pfeffer nach Geschmack hinzufügen. Zu einer glatten Masse verarbeiten.

d) Eine Schicht Walnusssoße auf dem Boden der vorbereiteten Auflaufform verteilen. Füllen Sie die Manicotti mit der Füllung. Die gefüllten Manicotti in einer Schicht in der Auflaufform anrichten. Die restliche Soße darüber geben. Mit Folie abdecken und etwa 30 Minuten heiß backen. Aufdecken, mit Semmelbröseln bestreuen und weitere 10 Minuten backen, um die Oberseite leicht zu bräunen. Sofort servieren.

17. Lasagne-Windräder

Ergibt 4 Portionen

Zutat

- 12 Lasagne-Nudeln
- 4 Tassen leicht verpackter frischer Spinat
- 1 Tasse gekochte oder eingemachte weiße Bohnen, abgetropft und abgespült
- 1 Pfund fester Tofu, abgetropft und trocken getupft
- 1/2 Teelöffel Salz
- 1/4 Teelöffel frisch gemahlener schwarzer Pfeffer
- 1/8 Teelöffel gemahlene Muskatnuss
- 3 Tassen Marinara-Sauce, hausgemacht

RICHTUNGEN:

a) Heizen Sie den Ofen auf 350 °F vor. In einem Topf mit kochendem Salzwasser die Nudeln bei mittlerer bis hoher Hitze unter gelegentlichem Rühren etwa 7 Minuten kochen, bis sie gerade al dente sind.

b) Den Spinat mit 1 Esslöffel Wasser in eine mikrowellengeeignete Schüssel geben. Abdecken und 1 Minute in der Mikrowelle erhitzen, bis es zusammengefallen ist. Aus der Schüssel nehmen, restliche Flüssigkeit ausdrücken.

c) Den Spinat in eine Küchenmaschine geben und zerkleinern. Bohnen, Tofu, Salz und Pfeffer hinzufügen und gut verrühren. Beiseite legen.

d) Um die Windräder zusammenzubauen, legen Sie die Nudeln auf eine ebene Arbeitsfläche. Verteilen Sie etwa 3 Esslöffel Tofu-Spinat-Mischung auf der Oberfläche jeder Nudel und rollen Sie sie auf. Mit den restlichen Zutaten wiederholen. Eine Schicht Tomatensauce auf dem Boden einer flachen Auflaufform verteilen.

e) Stellen Sie die Rollen aufrecht auf die Soße und geben Sie auf jedes Windrad etwas von der restlichen Soße. Mit Folie abdecken und 30 Minuten backen. Sofort servieren.

18. Gemüse-Lasagne-Auflauf

Zutat

- 1 kleine Zucchini
- 1 kleiner gelber Kürbis
- 1 mittelgroße Zwiebel
- 1 große rote Paprika
- 5 Unzen milchfreier Mozzarella-Käse nach Büffelart
- 1/4 Tasse in Scheiben geschnittene, entkernte, in Öl eingelegte schwarze Oliven
- 1 Teelöffel getrocknetes Basilikum
- 1 Teelöffel Meersalz
- 1/2 Teelöffel getrockneter Oregano
- 1/4 Teelöffel rote Paprikaflocken
- 1/4 Teelöffel gemahlener schwarzer Pfeffer
- 1 (15-Unzen) Dose Tomatensauce
- 1/4 Tasse geriebener milchfreier Parmesankäse

RICHTUNGEN:

a) Schneiden Sie die Zucchini und den gelben Kürbis der Länge nach in 1/8 bis 1/4 Zoll dicke Streifen. Teilen Sie beides in zwei Teile.

b) Die Zwiebel in halbmondförmige Scheiben schneiden. Teilen Sie die Scheiben in drei Teile. Schneiden Sie die Paprika der Länge nach in 1 1/2-Zoll-Streifen. Teilen Sie die Streifen in drei Teile.

c) Schneiden Sie den Mozzarella in 1/4-Zoll-Würfel. Geben Sie die Würfel in eine kleine Schüssel und fügen Sie Oliven, Basilikum, Salz, Oregano, rote Paprikaflocken und Pfeffer hinzu. Gut vermischen und die Mischung in drei Teile teilen.

d) Heizen Sie die Heißluftfritteuse 5 Minuten lang auf 360 °F vor. Verteilen Sie eine halbe Tasse Tomatensauce auf dem Boden einer 6 bis 7 Zoll großen Backform. Je einen Teil Zuchinni, Kürbis, Zwiebel und Paprika auf die Tomatensauce schichten. Das erste Drittel der Mozzarella-Mischung hinzufügen. Wiederholen Sie diesen Vorgang für zwei weitere Schichten. Die oberste Schicht mit Parmesan bestreuen.

e) Decken Sie die Backform mit Folie ab, geben Sie sie in die Heißluftfritteuse und garen Sie sie 15 Minuten lang bei 360 °F. Aufdecken und weitere 10 Minuten kochen lassen.

f) Für 2 bis 4 Personen

19. Ratatouille-Lasagne

Für 8–10 Personen

Zutaten

- Eierteig
- Natives Olivenöl extra
- 3 Knoblauchzehen, gehackt
- 1 Tasse (237 ml) Rotwein
- 2 (28-oz [794-g]) Dosen zerkleinert
- Tomaten
- 1 Bund Basilikum
- Koscheres Salz
- Frisch gemahlener schwarzer Pfeffer
- Olivenöl
- 1 Aubergine, geschält und klein gewürfelt
- 1 grüne Zucchini, klein gewürfelt
- 1 Sommerkürbis, klein gewürfelt
- 2 Tomaten, klein gewürfelt
- 4 Knoblauchzehen, in Scheiben geschnitten
- 1 rote Zwiebel, in dünne Scheiben geschnitten
- Koscheres Salz
- Frisch gemahlener schwarzer Pfeffer
- 3 Tassen (390 g) geriebener Mozzarella

Richtungen

a) Heizen Sie den Ofen auf 177 °C (350 °F) vor und bringen Sie einen großen Topf mit Salzwasser zum Kochen.

b) Zwei Blechpfannen mit Grießmehl bestäuben. Um die Nudeln zuzubereiten, rollen Sie den Teig aus, bis die Platte etwa 1,6 mm dick ist.

c) Schneiden Sie die ausgerollten Blätter in 30 cm große Abschnitte und legen Sie sie auf Backbleche, bis Sie etwa 20 Blätter haben. Lassen Sie die Blätter portionsweise in das kochende Wasser fallen und kochen Sie sie etwa 1 Minute lang, bis sie gerade noch biegsam sind. Auf Papiertücher legen und trocken tupfen.

d) Um die Sauce zuzubereiten, geben Sie in einem Topf bei mittlerer Hitze das native Olivenöl extra und den Knoblauch hinzu und braten Sie es etwa eine Minute lang oder bis es glasig ist. Den Rotwein dazugeben und auf die Hälfte reduzieren lassen. Dann die zerdrückten Tomaten, Basilikum sowie Salz und Pfeffer hinzufügen. Lassen Sie es etwa 30 Minuten lang auf niedriger Stufe köcheln.

e) Für die Füllung in einer großen Bratpfanne bei starker Hitze einen Schuss Olivenöl, Auberginen, Zucchini, Kürbis, Tomaten, Knoblauch und rote Zwiebeln hinzufügen. Mit Salz und frisch gemahlenem schwarzem Pfeffer würzen.

f) Zum Anrichten die Sauce auf den Boden einer 22,9 × 33 cm großen Auflaufform geben. Legen Sie die Nudelblätter leicht überlappend nach unten und bedecken Sie den Boden der Form. Geben Sie das Ratatouille gleichmäßig auf die Nudelblätter und streuen Sie Mozzarella darüber. Fügen Sie die nächste Schicht Nudelblätter in die entgegengesetzte Richtung hinzu und wiederholen Sie diese Schichten, bis Sie den oberen Rand erreichen oder die gesamte Füllung aufgebraucht ist. Etwas Soße gleichmäßig über das obere Blech verteilen und mit etwas Mozzarella bestreuen.

g) Legen Sie die Lasagne in den Ofen und kochen Sie sie etwa 45 Minuten bis 1 Stunde lang. Lassen Sie es etwa 10 Minuten abkühlen, bevor Sie es schneiden und servieren.

20. Kohllasagne

Ausbeute: 8 Portionen

Zutat

- 2 Pfund Rinderhackfleisch
- 1 Zwiebel; gehackt
- 1 grüner Pfeffer; gehackt
- 1 mittelgroßer Kohlkopf; geschreddert
- 1 Teelöffel Oregano
- 1 Teelöffel Salz
- ⅛ Teelöffel Pfeffer
- 18 Unzen Tomatenmark; ODER
- Tomatenmark mit italienischen Gewürzen
- 8 Unzen Mozzarella-Käse; geschnitten

RICHTUNGEN:

a) Rinderhackfleisch, Zwiebeln und grüne Paprika anbraten, bis das Fleisch braun ist. Gut abtropfen lassen.

b) In der Zwischenzeit den Kohl 2–5 Minuten kochen, bis er weich ist. Kombinieren Sie 2 Tassen flüssigen Kohl mit Oregano, Salz, Pfeffer und Tomatenmark.

c) 5 Minuten köcheln lassen oder in der Mikrowelle erhitzen. Fleisch-Gemüse-Mischung hinzufügen. Weitere 5 Minuten köcheln lassen. Die Hälfte der Tomaten-Fleisch-Mischung in eine 33 x 23 cm große Pfanne geben. Gut abgetropften Kohl auf die Soße schichten, dann den Rest der Soße darauflegen. Mit Käsescheiben bedecken, bis die Soße bedeckt ist.

d) Bei 400 F 25–40 Minuten backen. In den letzten 5–10 Minuten kann Käse hinzugefügt werden. Sie können es eine Weile in der Mikrowelle erhitzen und dann im Ofen fertig stellen, um die Garzeit zu verkürzen.

21. Schokoladenlasagne

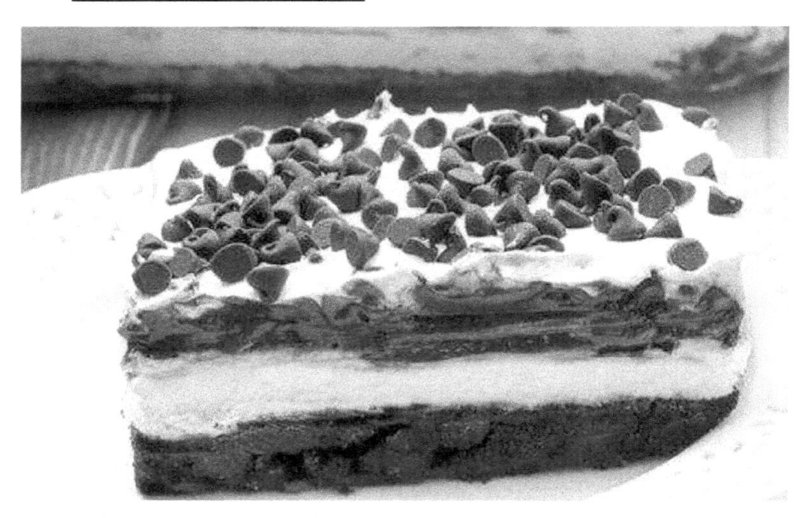

Ausbeute: 6 Portionen

Zutat

- 1¾ Tasse Mehl
- 2 Esslöffel ungesüßtes Kakaopulver
- 1 Prise Salz
- 2 extra große Eier
- 2 Teelöffel Pflanzenöl
- 4 Tassen Vollmilch-Ricotta-Käse
- 2 Tassen Sahne
- 6 Esslöffel Zucker
- 1 Esslöffel Orangenschale
- 2 Esslöffel Grand Marnier
- 1 Prise Salz
- 12 Unzen bittersüße Schokolade, gehackt

RICHTUNGEN:

a) Mehl, Kakao und Salz in einer Schüssel vermischen und in der Mitte eine Mulde formen. Eier und Öl in die Mitte der Mulde geben und mit einer Gabel zu einem Teig verrühren. Den Teig 15 Minuten lang kneten, bis er glatt und glänzend ist. Bei Bedarf noch mehr Mehl hinzufügen, damit der Teig nicht klebt.

b) In Plastikfolie einwickeln und eine halbe Stunde ruhen lassen. Rollen Sie die Nudeln von Hand oder mit einer Maschine aus und schneiden Sie sie in acht 4 ½ x 11 Zoll große Streifen.

c) Jeweils zwei Streifen in kochendem Salzwasser garen. Kochen Sie es nur 20 Sekunden, nachdem das Wasser wieder kocht. Tauchen Sie die Nudeln in kaltes Wasser, um das Kochen zu stoppen. Nach dem Abkühlen in einer Schicht auf Handtücher legen und abtropfen lassen.

d) Alle Zutaten für die Füllung vermischen und glatt rühren. Zusammenbauen: Den Ofen auf 200 °C vorheizen, wobei sich der Rost im oberen Drittel des Ofens befindet.

e) Eine 8 x 11 x 2 Zoll große Pfanne großzügig mit Butter bestreichen. Abwechselnd Nudeln, Käsefüllung und Schokolade schichten und mit einer Käseschicht abschließen.

f) 20-25 Minuten backen, bis die Oberfläche leicht gefärbt ist. Lassen Sie die Lasagne 10 Minuten lang stehen, damit sie fest wird, und servieren Sie sie dann warm.

22. Apfel-Frühstückslasagne

Ergiebigkeit: 6 Portionen

Zutat

- 1 Tasse Sauerrahm
- ⅓ Tasse brauner Zucker; verpackt
- 12 gefrorene French-Toast-Scheiben
- ½ Pfund gekochter Schinken
- 2½ Tasse Cheddar-Käse; geschreddert
- 1 Dose Apfelkuchenfüllung
- 1 Tasse Müsli

RICHTUNGEN:

a) In einer kleinen Schüssel Zucker und Sauerrahm vermischen; abdecken und im Kühlschrank aufbewahren.

b) Legen Sie 6 Scheiben French Toast auf den Boden einer gefetteten 9 x 13-Pfanne. Schinken, 2 Tassen Käse und die restlichen 6 Scheiben French Toast in die Backform schichten.

c) Die Füllung darüber verteilen; Streuen Sie Müsli über die Äpfel. Im vorgeheizten Ofen bei 350 °F 25 Minuten backen.

d) Mit der restlichen halben Tasse Cheddar-Käse belegen; Weitere 5 Minuten backen, bis der Käse geschmolzen und der Auflauf heiß ist. Mit Sauerrahmmischung servieren

23. Klassische Tofu-Lasagne

Ergibt 6 Portionen

Zutat

- 12 Unzen Lasagne-Nudeln
- 1 Pfund fester Tofu, abgetropft und zerbröselt
- 1 Pfund weicher Tofu, abgetropft und zerbröckelt
- 2 Esslöffel Nährhefe
- 1 Teelöffel frischer Zitronensaft
- 1 Teelöffel Salz
- 1⁄4 Teelöffel frisch gemahlener schwarzer Pfeffer
- 3 Esslöffel gehackte frische Petersilie
- 1⁄2 Tasse veganer Parmesan oderParmasio
- 4 Tassen Marinara-Sauce, hausgemacht

Richtungen:

a) In einem Topf mit kochendem Salzwasser die Nudeln bei mittlerer bis hoher Hitze kochen, dabei gelegentlich umrühren, bis sie gerade al dente sind, etwa 7 Minuten. Heizen Sie den Ofen auf 350 °F vor. In einer großen Schüssel den festen und den weichen Tofus vermischen. Nährhefe, Zitronensaft, Salz, Pfeffer, Petersilie und 1⁄4 Tasse Parmesan hinzufügen. Mischen, bis alles gut vermischt ist.

b) Eine Schicht Tomatensauce auf den Boden einer 9 x 13 Zoll großen Auflaufform geben. Mit einer Schicht gekochter Nudeln belegen. Die Hälfte der Tofu-Mischung gleichmäßig auf den Nudeln verteilen. Wiederholen Sie den Vorgang mit einer weiteren Schicht Nudeln, gefolgt von einer Schicht Soße.

c) Die restliche Tofu-Mischung auf der Soße verteilen und mit einer letzten Schicht Nudeln und Soße abschließen. Mit der restlichen 1⁄4 Tasse Parmesan bestreuen. Wenn noch Soße übrig ist, bewahren Sie diese auf und servieren Sie sie heiß in einer Schüssel neben der Lasagne.

d) Mit Folie abdecken und 45 Minuten backen. Deckel abnehmen und 10 Minuten länger backen. Vor dem Servieren 10 Minuten ruhen lassen.

24. Lasagne mit rotem Mangold und Babyspinat

Ergibt 6 Portionen

Zutat

- 12 Unzen Lasagne-Nudeln
- 1 Esslöffel Olivenöl
- 2 Knoblauchzehen, gehackt
- 8 Unzen frischer roter Mangold, harte Stiele entfernt und grob gehackt
- 9 Unzen frischer Babyspinat, grob gehackt
- 1 Pfund fester Tofu, abgetropft und zerbröckelt
- 1 Pfund weicher Tofu, abgetropft und zerbröckelt
- 2 Esslöffel Nährhefe
- 1 Teelöffel frischer Zitronensaft
- 2 Esslöffel gehackte frische glatte Petersilie
- 1 Teelöffel Salz
- 1⁄4 Teelöffel frisch gemahlener schwarzer Pfeffer
- 31⁄2 Tassen Marinara-Sauce

Richtungen:

a) In einem Topf mit kochendem Salzwasser die Nudeln bei mittlerer bis hoher Hitze kochen, dabei gelegentlich umrühren, bis sie gerade al dente sind, etwa 7 Minuten. Heizen Sie den Ofen auf 350 °F vor.

b) In einem großen Topf das Öl bei mittlerer Hitze erhitzen. Den Knoblauch hinzufügen und kochen, bis er duftet. Den Mangold dazugeben und unter Rühren ca. 5 Minuten kochen, bis er zusammengefallen ist. Fügen Sie den Spinat hinzu und kochen Sie ihn unter Rühren noch etwa 5 Minuten lang, bis er zusammengefallen ist.

c) Abdecken und ca. 3 Minuten weich kochen. Aufdecken und zum Abkühlen beiseite stellen. Wenn das Gemüse kühl genug zum Anfassen ist, lassen Sie die restliche Feuchtigkeit vom Grün abtropfen und drücken Sie es mit einem großen Löffel an, um überschüssige Flüssigkeit herauszudrücken. Geben Sie das Grün in eine große Schüssel. Tofu, Nährhefe, Zitronensaft, Petersilie, Salz und Pfeffer hinzufügen. Mischen, bis alles gut vermischt ist.
d) Eine Schicht Tomatensauce auf den Boden einer 9 x 13 Zoll großen Auflaufform geben. Mit einer Schicht Nudeln belegen. Die Hälfte der Tofu-Mischung gleichmäßig auf den Nudeln verteilen. Wiederholen Sie den Vorgang mit einer weiteren Schicht Nudeln und einer Schicht Soße. Die restliche Tofu-Mischung auf der Soße verteilen und mit einer letzten Schicht Nudeln, Soße und Parmesan abschließen.
e) Mit Folie abdecken und 45 Minuten backen. Deckel abnehmen und 10 Minuten länger backen. Vor dem Servieren 10 Minuten ruhen lassen.

25. geröstete Gemüse Lasagne

Ergibt 6 Portionen

Zutat

- 1 mittelgroße Zucchini, in 1⁄4-Zoll-Scheiben geschnitten
- 1 mittelgroße Aubergine, in 1⁄4-Zoll-Scheiben geschnitten
- 1 mittelgroße rote Paprika, gewürfelt
- 2 Esslöffel Olivenöl
- Salz und frisch gemahlener schwarzer Pfeffer
- 8 Unzen Lasagne-Nudeln
- 1 Pfund fester Tofu, abgetropft, trocken getupft und zerbröselt
- 1 Pfund weicher Tofu, abgetropft, trocken getupft und zerbröselt
- 2 Esslöffel Nährhefe
- 2 Esslöffel gehackte frische glatte Petersilie
- 31⁄2 Tassen Marinara-Sauce, hausgemacht

Richtungen:

a) Heizen Sie den Ofen auf 425 °F vor. Zucchini, Aubergine und Paprika auf einer leicht geölten 9 x 13 Zoll großen Backform verteilen. Mit Öl beträufeln und mit Salz und schwarzem Pfeffer abschmecken. Das Gemüse ca. 20 Minuten rösten, bis es weich und leicht gebräunt ist. Aus dem Ofen nehmen und zum Abkühlen beiseite stellen. Senken Sie die Ofentemperatur auf 350 °F.

b) In einem Topf mit kochendem Salzwasser die Nudeln bei mittlerer bis hoher Hitze kochen, dabei gelegentlich umrühren, bis sie gerade al dente sind, etwa 7 Minuten. Abtropfen lassen und beiseite stellen. In einer großen Schüssel den Tofu mit der Nährhefe, Petersilie sowie Salz und Pfeffer nach Geschmack vermischen. Gut mischen.

c) Zum Zusammenstellen eine Schicht Tomatensauce auf dem Boden einer 9 x 13 Zoll großen Auflaufform verteilen. Die Soße mit einer Schicht Nudeln belegen. Die Nudeln mit der Hälfte des gerösteten Gemüses belegen und dann die Hälfte der Tofu-Mischung auf dem Gemüse verteilen.

d) Wiederholen Sie den Vorgang mit einer weiteren Schicht Nudeln und geben Sie noch mehr Soße darüber. Wiederholen Sie den Schichtvorgang mit der restlichen Gemüse-Tofu-Mischung und schließen Sie mit einer Schicht Nudeln und Soße ab. Parmesan darüber streuen.

e) Abdecken und 45 Minuten backen. Deckel abnehmen und weitere 10 Minuten backen. Aus dem Ofen nehmen und vor dem Schneiden 10 Minuten ruhen lassen.

26. Lasagne mit Radicchio und Pilzen

Ergibt 6 Portionen

Zutat

- 1 Esslöffel Olivenöl
- 2 Knoblauchzehen, gehackt
- 1 kleiner Kopf Radicchio, zerkleinert
- 8 Unzen Cremini-Pilze, leicht abgespült, trocken getupft und in dünne Scheiben geschnitten
- Salz und frisch gemahlener schwarzer Pfeffer
- 8 Unzen Lasagne-Nudeln
- 1 Pfund fester Tofu, abgetropft, trocken getupft und zerbröselt
- 1 Pfund weicher Tofu, abgetropft, trocken getupft und zerbröselt
- 3 Esslöffel Nährhefe
- 2 Esslöffel gehackte frische Petersilie
- 3 Tassen Marinara-Sauce, hausgemacht

Richtungen:

a) In einer großen Pfanne das Öl bei mittlerer Hitze erhitzen. Knoblauch, Radicchio und Pilze hinzufügen. Abdecken und unter gelegentlichem Rühren ca. 10 Minuten kochen, bis es weich ist. Mit Salz und Pfeffer abschmecken und beiseite stellen

b) In einem Topf mit kochendem Salzwasser die Nudeln bei mittlerer bis hoher Hitze kochen, dabei gelegentlich umrühren, bis sie gerade al dente sind, etwa 7 Minuten. Abtropfen lassen und beiseite stellen. Ofen auf 350°F vorheizen.

c) In einer großen Schüssel den festen und weichen Tofu vermengen. Nährhefe und Petersilie dazugeben und gut verrühren. Die Radicchio-Pilz-Mischung untermischen und mit Salz und Pfeffer abschmecken.

d) Eine Schicht Tomatensauce auf den Boden einer 9 x 13 Zoll großen Auflaufform geben. Mit einer Schicht Nudeln belegen. Die Hälfte der Tofu-Mischung gleichmäßig auf den Nudeln verteilen. Wiederholen Sie den Vorgang mit einer weiteren Schicht Nudeln, gefolgt von einer Schicht Soße. Die restliche Tofu-Mischung darauf verteilen und mit einer letzten Schicht Nudeln und Soße abschließen. Die Oberseite mit gemahlenen Walnüssen bestreuen.

e) Mit Folie abdecken und 45 Minuten backen. Deckel abnehmen und 10 Minuten länger backen. Vor dem Servieren 10 Minuten ruhen lassen.

27. Lasagne Primavera

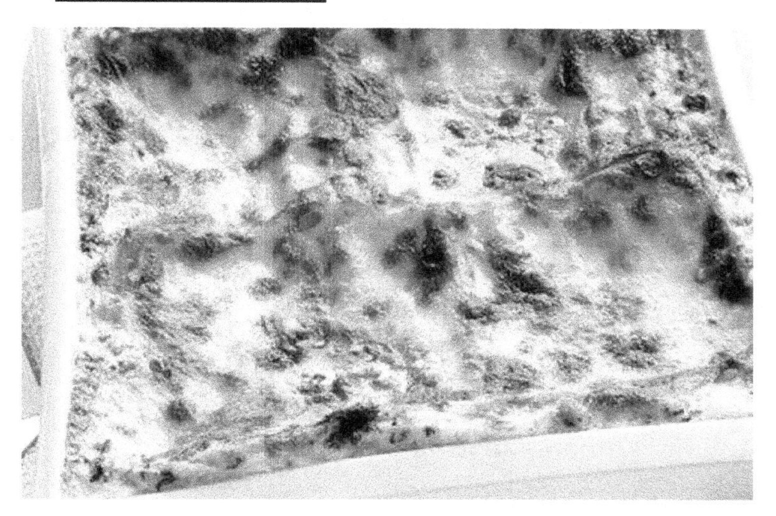

Ergibt 6 bis 8 Portionen

Zutat

- 8 Unzen Lasagne-Nudeln
- 2 Esslöffel Olivenöl
- 1 kleine gelbe Zwiebel, gehackt
- 3 Knoblauchzehen, gehackt
- 6 Unzen Seidentofu, abgetropft
- 3 Tassen einfache ungesüßte Sojamilch
- 3 Esslöffel Nährhefe
- 1⁄8 Teelöffel gemahlene Muskatnuss
- Salz und frisch gemahlener schwarzer Pfeffer
- 2 Tassen gehackte Brokkoliröschen
- 2 mittelgroße Karotten, gehackt
- 1 kleine Zucchini, der Länge nach halbieren oder vierteln und in 1⁄4-Zoll-Scheiben schneiden
- 1 mittelgroße rote Paprika, gehackt
- 2 Pfund fester Tofu, abgetropft und trocken getupft
- 2 Esslöffel gehackte frische glatte Petersilie
- 1⁄2 Tasse veganer Parmesan oderParmasio
- 1⁄2 Tasse gemahlene Mandeln oder Pinienkerne

Richtungen:

a) Heizen Sie den Ofen auf 350 °F vor. In einem Topf mit kochendem Salzwasser die Nudeln bei mittlerer bis hoher Hitze kochen, dabei gelegentlich umrühren, bis sie gerade al dente sind, etwa 7 Minuten. Abtropfen lassen und beiseite stellen.

b) Erhitzen Sie das Öl in einer kleinen Pfanne bei mittlerer Hitze. Zwiebel und Knoblauch dazugeben, abdecken und etwa 5 Minuten weich kochen. Geben Sie die Zwiebelmischung in einen

Mixer. Seidentofu, Sojamilch, Nährhefe, Muskatnuss sowie Salz und Pfeffer nach Geschmack hinzufügen. Alles glatt rühren und beiseite stellen.

c) Brokkoli, Karotten, Zucchini und Paprika dünsten, bis sie weich sind. Vom Herd nehmen. Den festen Tofu in eine große Schüssel zerkrümeln. Petersilie und 1/4 Tasse Parmesan dazugeben und mit Salz und Pfeffer abschmecken. Mischen, bis alles gut vermischt ist. Das gedünstete Gemüse einrühren und gut vermischen. Bei Bedarf noch mehr Salz und Pfeffer hinzufügen.

d) Geben Sie eine Schicht der weißen Soße auf den Boden einer leicht geölten 9 x 13 Zoll großen Auflaufform. Mit einer Schicht Nudeln belegen. Die Hälfte der Tofu-Gemüse-Mischung gleichmäßig auf den Nudeln verteilen. Wiederholen Sie den Vorgang mit einer weiteren Schicht Nudeln, gefolgt von einer Schicht Soße.

e) Die restliche Tofu-Mischung darauf verteilen und mit einer letzten Schicht Nudeln und Soße abschließen, abschließend mit der restlichen 1/4 Tasse Parmesan.Mit Folie abdecken und 45 Minuten backen.

28. Tex-Mex-Lasagne

Ergibt 6 bis 8 Portionen

Zutat

- 12 Lasagne-Nudeln
- 3 Tassen gekochte oder 2 (15,5 Unzen) Dosen Pintobohnen, abgetropft und abgespült
- 1 Teelöffel getrockneter Oregano
- 1 Teelöffel Chilipulver
- 1⁄2 Teelöffel gemahlener Kreuzkümmel
- 1 Pfund fester Tofu, abgetropft
- 1 (4 Unzen) Dose gehackte milde grüne Chilis, abgetropft
- 1⁄4 Tasse in Scheiben geschnittene, entkernte schwarze Oliven
- 2 Esslöffel gehackter frischer Koriander
- Salz und frisch gemahlener schwarzer Pfeffer
- 4 Tassen Tomatensalsa, hausgemacht

Richtungen:

a) In einem Topf mit kochendem Salzwasser die Nudeln bei mittlerer bis hoher Hitze kochen, dabei gelegentlich umrühren, bis sie gerade al dente sind, etwa 7 Minuten. Abtropfen lassen und beiseite stellen. Heizen Sie den Ofen auf 375 °F vor.

b) In einer großen Schüssel Pintobohnen, Oregano, Chilipulver und Kreuzkümmel vermischen. Die Bohnen gut zerdrücken und die Gewürze hinzufügen. Beiseite legen. In einer separaten großen Schüssel Tofu, Chilis, Frühlingszwiebeln, Oliven, Koriander sowie Salz und Pfeffer nach Geschmack vermischen. Gut vermischen und beiseite stellen.

c) Verteilen Sie eine halbe Tasse Salsa auf dem Boden einer 9 x 13 Zoll großen Auflaufform. 4 Nudeln auf der Salsa anrichten. Die Hälfte der Bohnenmischung auf den Nudeln verteilen, gefolgt von einer weiteren halben Tasse Salsa. Mit 4 Nudeln belegen und anschließend die Tofu-Mischung gleichmäßig verteilen. Geben Sie 1 Tasse Salsa darauf, geben Sie dann die restliche Bohnenmischung darauf und geben Sie die restlichen Nudeln darauf. Restliche Salsa darauf verteilen.

d) Mit Folie abdecken und 45 bis 50 Minuten heiß und sprudelnd backen. Aufdecken und 10 Minuten vor dem Servieren stehen lassen.

29. Lasagne mit schwarzen Bohnen und Kürbis

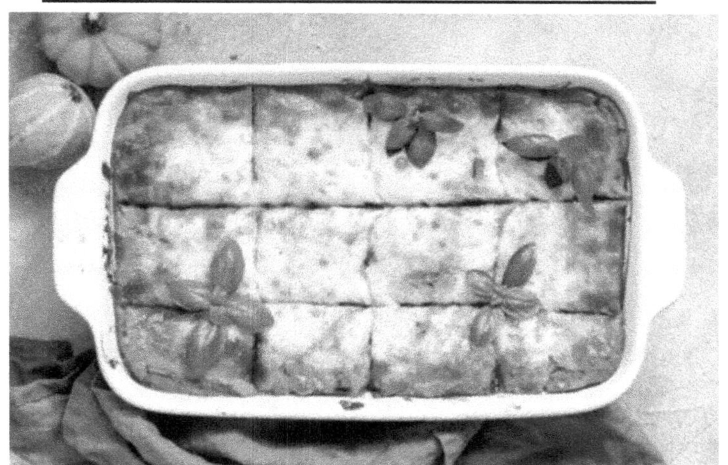

Ergibt 6 bis 8 Portionen

Zutat

- 12 Lasagne-Nudeln
- 1 Esslöffel Olivenöl
- 1 mittelgroße gelbe Zwiebel, gehackt
- 1 mittelgroße rote Paprika, gehackt
- 2 Knoblauchzehen, gehackt
- 11⁄2 Tassen gekocht oder 1 (15,5 Unzen) Dose schwarze Bohnen, abgetropft und abgespült
- (14,5 Unzen) Dose zerkleinerte Tomaten
- 2 Teelöffel Chilipulver
- Salz und frisch gemahlener schwarzer Pfeffer
- 1 Pfund fester Tofu, gut abgetropft
- 3 Esslöffel gehackte frische Petersilie oder Koriander
- 1 (16 Unzen) Dose Kürbispüree
- 3 Tassen Tomatensalsa

Richtungen:

a) In einem Topf mit kochendem Salzwasser die Nudeln bei mittlerer bis hoher Hitze kochen, dabei gelegentlich umrühren, bis sie gerade al dente sind, etwa 7 Minuten. Abtropfen lassen und beiseite stellen. Heizen Sie den Ofen auf 375 °F vor.

b) In einer großen Pfanne das Öl bei mittlerer Hitze erhitzen. Die Zwiebel hinzufügen, abdecken und kochen, bis sie weich ist. Paprika und Knoblauch dazugeben und weitere 5 Minuten kochen, bis sie weich sind. Bohnen, Tomaten, 1 Teelöffel Chilipulver sowie Salz und schwarzen Pfeffer nach Geschmack hinzufügen. Gut vermischen und beiseite stellen.

c) In einer großen Schüssel Tofu, Petersilie, den restlichen 1 Teelöffel Chilipulver sowie Salz und schwarzen Pfeffer nach Geschmack vermischen. Beiseite legen. In einer mittelgroßen Schüssel den Kürbis mit der Salsa vermischen und gut verrühren. Mit Salz und Pfeffer abschmecken.

d) Verteilen Sie etwa ¾ Tasse der Kürbismischung auf dem Boden einer 9 x 13 Zoll großen Auflaufform. Mit 4 Nudeln belegen. Geben Sie die Hälfte der Bohnenmischung darauf, gefolgt von der Hälfte der Tofu-Mischung.

e) Vier Nudeln darauflegen, dann eine Schicht Kürbismischung darauflegen, dann die restliche Bohnenmischung darauf verteilen und mit den restlichen Nudeln belegen.

f) Verteilen Sie die restliche Tofu-Mischung auf den Nudeln, gefolgt von der restlichen Kürbismischung und verteilen Sie diese bis zum Rand der Pfanne.

g) Mit Folie abdecken und etwa 50 Minuten lang backen, bis es heiß und sprudelnd ist. Aufdecken, mit Kürbiskernen bestreuen und vor dem Servieren 10 Minuten ruhen lassen.

30. Lasagne mit weißer Soße

Zutat

Tomatensaucenschicht

- 6 Esslöffel Olivenöl
- 1 Zwiebel, gehackt oder gerieben
- 1/2 Pfund mageres Rinderhackfleisch
- 3 Knoblauchzehen, gehackt
- kleine Dose Tomatenmark
- 6 Tassen gewürfelte Tomaten, im Mixer püriert
- 2 Teelöffel Oregano
- 2 Lorbeerblätter
- mit Salz und Pfeffer würzen

Weiße Soßenschicht

- 3 Esslöffel Butter
- 3 Esslöffel Mehl
- 3- 1/2 Tasse Milch
- 8 Unzen. oder 2 Tassen Mozzarella-Käse, gerieben
- Sie benötigen außerdem:
- 1 Pfund ofenfertige Lasagne-Nudeln
- Lasagne mit weißer Soße

Richtungen

a) Um die Tomatensauce zuzubereiten, Öl in eine große Pfanne geben und Zwiebeln, Knoblauch und Hackfleisch anbraten. Kochen, bis das Rindfleisch nicht mehr rosa ist, das Fett abtropfen lassen und erneut erhitzen. Tomaten, Tomatenmark, Oregano und Lorbeerblätter hinzufügen und mit Salz und Pfeffer würzen. 15–20 Minuten köcheln lassen, während Sie die weiße Soße zubereiten.

b) Um die weiße Soße zuzubereiten, schmelzen Sie die Butter in einem Topf. Mehl einrühren, um eine Mehlschwitze zu machen. Milch langsam einrühren und einige Minuten kochen und eindicken lassen. Gelegentlich weiterrühren. Nach einigen Minuten Käse hinzufügen und rühren, bis er geschmolzen ist. Wärme abziehen.

c) Schöpfen Sie eine halbe Tasse oder weniger Tomatensauce auf den Boden einer Auflaufform. Lasagne-Nudeln über die Soße schichten. Weiße Soße über die Nudeln verteilen. Tomatensoße, Nudeln und weiße Soße weiter schichten, bis die Pfanne voll ist.

d) Stellen Sie sicher, dass Ihre Nudeln oben mit einer Schicht Flüssigkeit, entweder Tomatensauce oder weißer Soße, bedeckt sind. Bei 350 Grad 30–40 Minuten backen oder bis die Nudeln weich sind.

31. Hüttenkäse-Lasagne

Zutat

Hüttenkäsemischung

- 1 Tasse Mozzarella-Käse, gerieben
- 1 Tasse Gruyère-Käse, gerieben
- 2 Tassen Hüttenkäse
- 3/4 Tasse geriebener Parmesankäse
- 2 Esslöffel Petersilie
- 1 Esslöffel italienisches Gewürz
- 1 Ei, geschlagen
- Prise Salz und Pfeffer
- Etwas Gruyere und Mozzarella zum Garnieren aufbewahren.

In einer Rührschüssel Käse, Ei und Gewürze vermischen. Zusammenrühren.

Zutaten für Lasagne

- 12 ganze Lasagne-Nudeln, nach Packungsanleitung kochen
- 4 Tassen Spaghetti oder Tomatensauce

Richtungen:

a) Um Ihre Lasagne zusammenzustellen, kochen Sie Ihre Nudeln oder verwenden Sie gebrauchsfertige Nudeln. Etwas Spaghettisoße auf den Boden der Auflaufform geben.

b) Nudeln, Käsemischung und Spaghettisauce schichten. Machen Sie weitere Schichten, bis die Mischung aufgebraucht ist. Mit dem restlichen Gruyere- und Mozzarella-Käse belegen. Locker mit Alufolie abdecken und 30 Minuten bei 350 Grad backen.

c) Entfernen Sie die Folie und backen Sie den Käse 15 Minuten lang weiter, bis er braun wird.

32. Lasagne Suppe

Zutat

- 1 Tasse Wasser
- 1 Dose Tomatenmark
- 2 Knoblauchzehen, gehackt
- 1 grüne Paprika, klein gewürfelt
- 1 Zwiebel, klein gehackt oder gerieben
- 28 Unzen. Dose Tomaten, püriert oder gehackt
- 1 ½ Teelöffel italienisches Gewürz
- 2 Tassen Nudeln, es gibt kleine Lasagne-Nudeln namens Mafalda, deren Verwendung Spaß macht
- Suppennudeln

Richtungen:

a) In einem großen Suppentopf oder Suppentopf Fleisch, grüne Paprika, Knoblauch und Zwiebeln anbraten, bis das Rindfleisch gar ist. Fett abtropfen lassen und zurück in die Pfanne geben.

b) Tomaten, Tomatenmark, Wasser und Gewürze unterrühren. Nudeln hinzufügen und köcheln lassen, bis die Nudeln fertig sind.

33. Peperoni-Lasagne

Portionen: 12

Zutat

- 3/4 Pfund Rinderhackfleisch
- 1/4 Teelöffel gemahlener schwarzer Pfeffer
- 1/2 Pfund Salami, gehackt
- 9 Lasagne-Nudeln
- 1/2 Pfund Peperoniwurst, gehackt
- 4 C. geriebener Mozzarella-Käse
- 1 Zwiebel, gehackt
- 2 Tassen Hüttenkäse
- 2 (14,5 Unzen) Dosen gedünstete Tomaten
- 9 Scheiben weißer amerikanischer Käse
- 16 Unzen. Tomatensauce
- geriebener Parmesankäse
- 6 Unzen. Tomatenmark
- 1 Teelöffel Knoblauchpulver
- 1 Teelöffel getrockneter Oregano
- 1/2 Teelöffel Salz

Richtungen

a) Braten Sie Peperoni, Rindfleisch, Zwiebeln und Salami 10 Minuten lang an. Überschüssiges Öl entfernen. Geben Sie alles mit etwas Pfeffer, Tomatensauce und -mark, Salz, gedünsteten Tomaten, Oregano und Knoblauchpulver in Ihren Slow Cooker und lassen Sie es 2 Stunden lang kochen.

b) Schalten Sie Ihren Ofen auf 350 Grad ein, bevor Sie fortfahren.

c) Kochen Sie Ihre Lasagne 10 Minuten lang in Salzwasser, bis sie al dente ist, und entfernen Sie dann das gesamte Wasser.

d) Tragen Sie in Ihrer Auflaufform eine dünne Schicht Soße auf und schichten Sie dann Folgendes auf: 1/3 Nudeln, 1 1/4 Tasse Mozzarella, 2/3 Tasse Hüttenkäse, amerikanische Käsescheiben, 4 Teelöffel Parmesan, 1/3 Fleisch. Fahren Sie fort, bis die Schüssel voll ist.

e) 30 Minuten kochen lassen.

34. Spanische Lasagne

Portionen: 12

Zutat

- 4 C. gehackte Tomaten aus der Dose
- 1 (32 oz.) Behälter Ricotta-Käse
- 1 (7 Unzen) Dose gewürfelte grüne Chilis
- 4 Eier, leicht geschlagen
- 1 (4 oz.) Dose gewürfelte Jalapenopfeffer
- 1 (16 Unzen) Packung mexikanische Art, vier geraspelt 1 Zwiebel, gewürfelt
- Käsemischung
- 3 Knoblauchzehen, gehackt
- 1 (8 oz.) Packung No-Cook-Lasagne-Nudeln
- 10 Zweige frischer Koriander, gehackt
- 2 Esslöffel gemahlener Kreuzkümmel
- 2 lbs. Chorizo-Wurst

Richtungen:

a) Folgendes 2 Minuten lang kochen und dann 55 Minuten lang auf niedriger Stufe köcheln lassen: Koriander, Tomaten, Kreuzkümmel, grüne Chilis, Knoblauch, Zwiebeln und Jalapenos.

b) Nehmen Sie eine Schüssel und vermischen Sie: geschlagene Eier und Ricotta.

c) Stellen Sie Ihren Ofen auf 350 Grad ein, bevor Sie fortfahren.

d) Braten Sie Ihre Chorizos an. Anschließend überschüssiges Öl entfernen und das Fleisch zerbröseln.

e) Tragen Sie in Ihrer Auflaufform eine dünne Schicht Soße auf und schichten Sie dann Folgendes auf: Wurst, 1/2 Ihrer Soße, 1/2 geriebener Käse, Lasagne-Nudeln, Ricotta, weitere Nudeln, die gesamte restliche Soße und noch mehr geriebenen Käse.

f) Bestreichen Sie etwas Folie mit Antihaftspray und decken Sie die Lasagne ab. 30 Minuten abgedeckt und 15 Minuten ohne Deckel garen.

35. Veganes Rigatoni-Basilikum

Portionen: 6

Zutat

- 1 1/2 (8 Unzen) Packungen Rigatoni-Nudeln
- 6 Blätter frisches Basilikum, in dünne Scheiben geschnitten
- 2 Esslöffel Olivenöl
- 6 Zweige frischer Koriander, gehackt
- 2 Knoblauchzehen, gehackt
- 1/4 C. Olivenöl
- 1/2 (16 oz.) Packung Tofu, abgetropft und
- gewürfelt
- 1/2 Teelöffel getrockneter Thymian
- 1 1/2 Teelöffel Sojasauce
- 1 kleine Zwiebel, in dünne Scheiben geschnitten
- 1 große Tomate, gewürfelt
- 1 Karotte, geraspelt

Richtungen:

a) Kochen Sie die Nudeln gemäß den Anweisungen auf der Packung.

b) Stellen Sie eine große Pfanne auf mittlere Hitze. 2 Esslöffel Olivenöl darin erhitzen. Fügen Sie den Knoblauch hinzu und kochen Sie ihn 1 Minute und 30 Sekunden lang.

c) Thymian und Tofu unterrühren. Kochen Sie sie 9 Minuten lang. Sojasauce einrühren und den Herd ausschalten.

d) Besorgen Sie sich eine große Rührschüssel: Geben Sie Rigatoni, Tofu-Mischung, Zwiebeln, Tomaten, Karotten, Basilikum und Koriander hinein. Das Olivenöl über den Nudelsalat träufeln und servieren.

36. Klassische Lasagne

Portionen: 8

Zutaten

- 1 1/2 Pfund. mageres Rinderhackfleisch
- 2 Eier, geschlagen
- 1 Zwiebel, gewürfelt
- 1 Pint teilentrahmter Ricotta-Käse
- 2 Knoblauchzehen, gehackt
- 1/2 C. geriebener Parmesankäse
- 1 Esslöffel gewürfeltes frisches Basilikum
- 2 Esslöffel getrocknete Petersilie
- 1 Teelöffel getrockneter Oregano
- 1 Teelöffel Salz
- 2 Esslöffel brauner Zucker
- 1 Pfund Mozzarella-Käse, gerieben
- 1 1/2 Teelöffel Salz
- 2 Esslöffel geriebener Parmesankäse
- 1 (29 oz.) Dose gewürfelte Tomaten
- 2 (6 oz.) Dosen Tomatenmark
- 12 trockene Lasagne-Nudeln

Richtungen:

a) Braten Sie Knoblauch, Zwiebeln und Rindfleisch 3 Minuten lang unter Rühren an und vermischen Sie dann Folgendes: Tomatenmark, Basilikum, gewürfelte Tomaten, Oregano, 1,5 Teelöffel Salz und braunen Zucker.

b) Stellen Sie nun Ihren Ofen auf 375 Grad ein, bevor Sie etwas anderes tun.

c) Beginnen Sie, Ihre Nudeln 9 Minuten lang in Wasser und Salz zu kochen und entfernen Sie dann alle Flüssigkeiten.

d) Nehmen Sie eine Schüssel und vermischen Sie: 1 Teelöffel Salz, Eier, Petersilie, Ricotta und Parmesan.

e) Ein Drittel der Nudeln in eine Auflaufform geben und alles mit der Hälfte der Käsemischung, einem Drittel der Sauce und der Hälfte des Mozzarella belegen.

f) Auf diese Weise weiter schichten, bis alle Zutaten aufgebraucht sind.

g) Anschließend alles mit etwas Parmesan bestreuen.

h) Die Lasagne 35 Minuten im Ofen garen.

i) Genießen.

37. Kuttellasagne mit Vollkornnudeln

Ergibt 8 bis 10 Portionen

Zutat

- 567 g Wabenkutteln
- ¼ Tasse (60 ml) Olivenöl
- ½ Tasse (84 g) fein gehackte gelbe Zwiebel
- ½ Tasse (51 g) fein gehackter Sellerie
- ½ Tasse (70 g) geschälte und fein gehackte Karotte
- 3 große ganze San-Marzano-Tomaten aus der Dose
- 4 Tassen (946 ml) Vollmilch
- 1½ Tassen (150 g) geriebener Parmesankäse
- Koscheres Salz und frisch gemahlener schwarzer Pfeffer
- 1¾ Pfund (794 g)Vollei- und Vollkornteig, zu Blättern gerollt, die etwas weniger als 3 mm dick sind
- 4 Tassen (946 ml)Béchamel, erwärmt

Richtungen:

a) Um die Kutteln zu kochen, bringen Sie einen großen Topf mit Salzwasser zum Kochen. Die Kutteln dazugeben und ohne Deckel 1½ Stunden lang bei gleichmäßigem Siedepunkt kochen lassen. Den Topf vom Herd nehmen und die Kutteln in der Flüssigkeit abkühlen lassen. Wenn die Kutteln kühl genug zum Anfassen sind, nehmen Sie sie aus der Flüssigkeit und schneiden Sie sie in 12 mm breite Stücke. Schütten Sie die Flüssigkeit weg und legen Sie die Kutteln beiseite.

b) Das Öl in einem großen Topf bei mittlerer Hitze erhitzen. Fügen Sie die Zwiebel, den Sellerie und die Karotte hinzu und braten Sie das Gemüse 4 bis 6 Minuten lang an, bis es zart, aber nicht gebräunt ist.

c) Fügen Sie die Tomaten hinzu und zerdrücken Sie sie mit der Hand, während Sie sie in die Pfanne geben. Kochen Sie die

Mischung 6 bis 8 Minuten lang, bis die Tomaten zu zerfallen beginnen.

d) Gießen Sie die Milch hinzu, erhöhen Sie die Hitze und bringen Sie die Mischung zum Kochen. Fügen Sie die Kutteln hinzu, reduzieren Sie die Hitze auf eine niedrige Stufe, decken Sie sie ab und schmoren Sie die Kutteln unter gelegentlichem Rühren etwa 2 Stunden lang, bis sie weich sind und das Volumen der Flüssigkeit leicht abnimmt.

e) Wenn die Mischung fertig ist, sollte sie die Konsistenz eines Ragouts haben. Anschließend die Pfanne vom Herd nehmen und ½ Tasse (50 g) Parmesan unterrühren. Probieren Sie das Ragù ab und fügen Sie Salz und Pfeffer hinzu, bis es Ihnen schmeckt. Abkühlen lassen, bis es warm und leicht eingedickt ist.

f) In der Zwischenzeit ein Nudelblatt auf eine leicht bemehlte Arbeitsfläche legen und die Ränder rechtwinklig abschneiden. Sie schneiden sie in eine 33 x 23 cm große Pfanne. Wenn Sie eine andere Pfannengröße haben, schneiden Sie die Nudeln so zu, dass sie in die Pfanne passen.

g) Schneiden Sie das erste Nudelblatt in etwa 76 cm lange und 7,5 bis 10 cm breite Stücke.

h) Schneiden Sie ein zweites Nudelblatt auf die gleichen Abmessungen, 76 cm lang und 7,5 bis 10 cm breit. Schneiden Sie die restlichen Blätter in etwa 35,5 cm lange und 10 cm breite Stücke. Insgesamt sollten Sie 6 Stück haben. Besprühen Sie die Nudeln während der Arbeit leicht mit Wasser und decken Sie sie mit sauberen Küchentüchern ab, damit sie nicht austrocknen.

i) Halten Sie eine große Schüssel mit Eiswasser bereit. Einen großen Topf mit Salzwasser zum Kochen bringen. Geben Sie die Nudeln hinein und decken Sie den Topf ab, damit das Wasser schnell wieder zum Kochen kommt, um ein Überfüllen zu vermeiden. Blanchieren Sie die Nudeln 30 Sekunden lang. Geben Sie jedes Stück mit einer Zange oder einem Spinnensieb etwa 30 Sekunden lang in das Eiswasser, um das Kochen zu stoppen. Legen Sie die Stücke dann flach auf Küchentücher und tupfen Sie sie trocken.

j) Heizen Sie den Ofen auf 375 °F (190 °C) vor. Eine 33 x 23 cm große Auflaufform großzügig mit Butter bestreichen. Ordnen Sie die beiden 30 Zoll (76 cm) langen Nudelstücke der Länge nach nebeneinander in der vorbereiteten Auflaufform an und lassen Sie die überschüssige Länge über einen Rand der Auflaufform hängen. Etwa ein Viertel (ca. 1 Tasse/237 ml) des Ragouts über die Nudeln geben und dann etwa die gleiche Menge Béchamelsauce über das Ragout geben.

k) Mit ¼ Tasse (25 g) Parmesan bestreuen. Eine Schicht aus zwei 35,5 cm (14 Zoll) langen Nudelstücken darauflegen, gefolgt von einer Schicht Ragù, einer Schicht Béchamelsoße und einer Schicht Parmesan in der gleichen Menge wie bei den ersten Schichten. Wiederholen Sie den Vorgang mit einer weiteren Schicht 35,5 cm (14 Zoll) langer Nudelstücke, Ragù, Béchamelsauce und Parmesan.

l) Falten Sie die überstehenden Nudeln darüber und stecken Sie die Enden dieser Längen über die anderen Enden in die Form, um die Lasagne wie eine Verpackung zu verschließen. Mit einer letzten Schicht Ragù, Béchamelsauce und Parmesan belegen, ebenfalls in der gleichen Menge wie bei den ersten Schichten.

m) Backen Sie die Lasagne 45 Minuten bis 1 Stunde lang, bis sie oben goldbraun ist. Nehmen Sie es aus dem Ofen, lassen Sie es 15 bis 20 Minuten ruhen und schneiden Sie es dann in Quadrate oder Rechtecke.

38. Klassische Lasagne

Portionen: 12

Zutat

- 1 Pfund süße italienische Wurst
- 1 Esslöffel Salz
- 3/4 Pfund mageres Rinderhackfleisch
- 1/4 Teelöffel gemahlener schwarzer Pfeffer
- 1/2 C. gehackte Zwiebel
- 4 Esslöffel gewürfelte frische Petersilie
- 2 Knoblauchzehen, zerdrückt
- 12 Lasagne-Nudeln
- 1 (28 oz.) Dose zerdrückte Tomaten
- 16 Unzen. Ricotta-Käse
- 2 (6 oz.) Dosen Tomatenmark
- 1 Ei
- 2 (6,5 Unzen) Dosen Tomatensauce aus der Dose
- 1/2 Teelöffel Salz
- 1/2 C. Wasser
- 3/4 Pfund Mozzarella-Käse, in Scheiben geschnitten
- 2 Esslöffel weißer Zucker
- 3/4 C. geriebener Parmesankäse
- 1 1/2 Teelöffel getrocknete Basilikumblätter
- 1/2 Teelöffel Fenchelsamen
- 1 Teelöffel italienisches Gewürz

Richtungen:

a) Braten Sie Knoblauch, Wurst, Zwiebeln und Rindfleisch an, bis das Fleisch vollständig gar ist. Fügen Sie dann hinzu: 2

b) Esslöffel Petersilie, zerdrückte Tomaten, Pfeffer, Tomatenmark, 1 Esslöffel Salz, Tomatensauce, italienische Gewürze, Wasser, Fenchelsamen, Zucker und Basilikum.

c) Bringen Sie die Mischung zum Kochen, stellen Sie die Hitze auf niedrig und lassen Sie den Inhalt 90 Minuten lang leicht kochen. Rühren Sie die Mischung mindestens viermal um.

d) Lassen Sie Ihre Nudeln nun 9 Minuten lang in Wasser und Salz kochen und entfernen Sie dann die Flüssigkeiten.

e) Nehmen Sie eine Schüssel und vermischen Sie: 1/2 Teelöffel Salz, Ricotta, den Rest der Petersilie und die Eier.

f) Stellen Sie Ihren Ofen auf 375 Grad ein, bevor Sie etwas anderes tun.

g) Den Boden einer Auflaufform mit 1,5 C der Fleisch-Tomaten-Mischung bestreichen und dann sechs Lasagnestücke darauf legen.

h) Fügen Sie die Hälfte der Käsemischung und dann 1/3 des Mozzarella hinzu.

i) Fügen Sie erneut 1,5 EL Tomaten-Fleischmischung und ein Viertel EL Parmesan hinzu.

j) Auf diese Weise weiter schichten, bis alle Zutaten aufgebraucht sind.

k) Versuchen Sie, mit Mozzarella und Parmesan zu enden.

l) Nehmen Sie ein großes Stück Folie und bestreichen Sie es mit Antihaftspray. Decken Sie dann die Auflaufform mit der Folie ab und garen Sie alles 30 Minuten lang im Ofen.

m) Nehmen Sie nun die Folie ab und kochen Sie die Lasagne weitere 20 Minuten lang.

39. Pfannen-Pilz-Spinat-Lasagne

Macht:8 Portionen

Zutaten:

- 16 Unzen Ricotta-Käse, ganz
- ¼ Tasse Basilikum, frisch und gehackt
- 1 Ei, groß
- 8 Unzen italienische Käsemischung, gerieben
- 2 Unzen Parmesankäse
- Prise Salz und schwarzer Pfeffer
- 3 Esslöffel. Olivenöl, extra vergine
- 12 Unzen Shiitake-Pilze
- 1 süße Zwiebel, in dünne Scheiben geschnitten
- 1 rote Paprika, in dünne Scheiben geschnitten
- 5 Unzen Spinat, Baby und frisch
- 2 Knoblauchzehen
- 1,8-Unzen-Dose Tomaten, feuergeröstet und gewürfelt
- 12 Lasagne-Nudeln, nicht gebacken
- 10 Unzen Alfredo-Sauce, hell

Richtungen:

a) Heizen Sie zunächst den Ofen auf 400 Grad vor.

b) Während der Ofen aufheizt, verwenden Sie eine große Schüssel und geben Sie den ganzen Ricotta-Käse, gehacktes Basilikum, ein großes Ei, 1 Tasse der italienischen Käsemischung und ¼ Tasse Parmesan hinzu. Gut umrühren und mit einer Prise Salz und schwarzem Pfeffer würzen.

c) Stellen Sie eine große Pfanne auf mittlere bis hohe Hitze. 1 Esslöffel Olivenöl hinzufügen. Sobald das Öl heiß genug ist, fügen Sie die Pilze hinzu. 5 bis 7 Minuten kochen lassen oder bis es hellbraun ist.

d) Einen weiteren Esslöffel Olivenöl in die Pfanne geben. Sobald das Öl heiß genug ist, fügen Sie die geschnittene Zwiebel und die geschnittene Paprika hinzu. 4 bis 6 Minuten kochen lassen oder bis es weich ist. In eine große Schüssel umfüllen.

e) In die Schüssel die Pilze und Tomaten geben. Gut umrühren und mit einer Prise Salz und schwarzem Pfeffer würzen.

f) Wischen Sie die Pfanne sauber und geben Sie das restliche Olivenöl hinzu. Legen Sie 4 Lasagne-Nudeln auf den Boden der Pfanne. Mit 1/3 der Gemüsemischung auffüllen.

g) Die Ricotta-Mischung darüber verteilen und die Alfredo-Sauce darüber gießen. Wiederholen Sie diese Schicht noch zweimal. Mit der restlichen italienischen Käsemischung und dem restlichen Parmesankäse auffüllen.

h) In den Ofen geben und 30 Minuten backen, bis es goldbraun ist. Herausnehmen und mit einer Prise Basilikumscheiben servieren.

40. Tomatenlasagne mit Oliventapenade

Macht:6 Portionen

Zutaten:

- 4 Esslöffel. ungesalzene Butter
- 2 Vidalia-Zwiebeln, groß und in dünne Scheiben geschnitten
- Prise Salz und schwarzer Pfeffer
- 1 ½ Teelöffel. aus weißem Zucker
- 12 Lasagne-Nudeln
- 3 Esslöffel. Olivenöl, extra vergine
- 6 Esslöffel. Oliventapenade, schwarz
- 2 Tomaten, Beefsteak
- 2 Zweige Rosmarin, frisch
- 8 Unzen Mozzarella-Käse, gerieben
- 1 Baguette, französisch

Richtungen:

a) Stellen Sie eine mittelgroße Pfanne auf niedrige bis mittlere Hitze. Fügen Sie 2 Esslöffel Butter hinzu und sobald die Butter geschmolzen ist, fügen Sie die geschnittenen Zwiebeln und eine Prise Salz hinzu. 10 Minuten kochen lassen oder bis die Zwiebeln braun sind.

b) Den weißen Zucker hinzufügen und die Hitze auf mittlere Stufe erhöhen. 5 Minuten kochen lassen oder bis die Zwiebeln anfangen, braun zu werden.

c) Dann 3 Esslöffel Wasser hinzufügen und die Pfanne ablöschen. Weiter 5 bis 8 Minuten kochen lassen oder bis die Zwiebeln gut karamellisiert sind. Beiseite legen.

d) Stellen Sie während dieser Zeit einen großen, mit Salzwasser gefüllten Topf auf mittlere bis hohe Hitze. Bringen Sie das Wasser zum Kochen und fügen Sie die Lasagne-Nudeln hinzu. 8 bis 10

Minuten kochen lassen oder bis die Lasagne-Nudeln weich sind. Abgießen und zurück in den Topf geben. 1 Esslöffel Olivenöl über die Nudeln träufeln.

e) Als nächstes heizen Sie den Ofen auf 350 Grad vor. Während der Ofen aufheizt, fetten Sie eine große Auflaufform mit Olivenöl ein.

f) 3 Nudeln auf den Boden der Auflaufform legen. 2 Esslöffel Tapenade auf den Nudeln verteilen. Dann 1/3 der Tomaten, 1 Teelöffel Rosmarin, eine Prise schwarzen Pfeffer, 1/3 der karamellisierten Zwiebeln und ½ Tasse Mozzarella hinzufügen. Wiederholen Sie den Vorgang mit zwei weiteren Schichten und legen Sie drei weitere Lasagne-Nudeln darüber. Das restliche Olivenöl darüber träufeln.

g) Decken Sie die Auflaufform mit einem Blatt Aluminiumfolie ab. Zum Backen in den Ofen geben und 50 Minuten lang backen, bis es vollständig durchgegart ist.

h) Das Baguette in große Semmelbrösel zerreißen.

i) Stellen Sie dann eine große Pfanne auf mittlere Hitze. Die restliche Butter hinzufügen und, sobald die Butter geschmolzen ist, die Semmelbrösel hinzufügen. Zum Überziehen umrühren und 5 bis 10 Minuten garen, bis es leicht geröstet ist.

j) Die Lasagne aus dem Ofen nehmen und mit den Semmelbröseln und dem restlichen Mozzarella-Käse belegen. Zurück in den Ofen stellen und 5 Minuten lang backen, bis der Käse vollständig geschmolzen ist.

k) Aus dem Ofen nehmen und vor dem Servieren 10 Minuten ruhen lassen.

41. Artischocken-Spinat-Lasagne

Macht:8 Portionen

Zutaten:

- Etwas Kochspray
- 9 Lasagne-Nudeln, ungekocht
- 1 Zwiebel, gehackt
- 4 Knoblauchzehen, gehackt
- 1 14,5-Unzen-Dose Gemüsebrühe
- 1 Esslöffel. Rosmarin, frisch und grob gehackt
- 1, 14-Unzen-Dose Artischockenherzen, abgetropft und gehackt
- 1 10-Unzen-Packung Spinat, gefroren, aufgetaut, gehackt und abgetropft
- 1, 28-Unzen-Glas Tomatensauce
- 3 Tassen Mozzarella-Käse, gerieben und gleichmäßig verteilt
- 1,4-Unzen-Packung Feta-Käse, Kräuter und Knoblauch und zerbröselt

Richtungen:

a) Heizen Sie zunächst den Ofen auf 350 Grad vor. Während der Ofen aufheizt, sprühen Sie etwas Kochspray auf eine große Auflaufform.

b) Stellen Sie einen großen Topf mit Salzwasser auf hohe Hitze. Sobald das Wasser zu kochen beginnt, die Nudeln hinzufügen. 8 bis 10 Minuten kochen lassen oder bis es weich ist. Die Nudeln abgießen und beiseite stellen.

c) Stellen Sie eine große Pfanne auf mittlere bis hohe Hitze. Mit etwas Kochspray besprühen und sobald die Pfanne heiß genug ist, die Zwiebel und den Knoblauch hinzufügen. 3 Minuten kochen lassen oder bis die Zwiebel weich ist.

d) Fügen Sie die Dose Gemüsebrühe und frischen Rosmarin hinzu. Zum Mischen umrühren und diese Mischung zum Kochen bringen. Die Artischockenherzen und den abgetropften Spinat hinzufügen.

e) Reduzieren Sie die Hitze auf eine niedrige Stufe und decken Sie es ab. 5 Minuten kochen lassen, bevor die Nudelsauce hinzugefügt wird.

f) Ein Viertel der Artischockenmischung auf dem Boden der Auflaufform verteilen. Diese Mischung mit 3 der gekochten Lasagne-Nudeln garnieren. Streuen Sie eine ¾ Tasse Mozzarella-Käse über die Nudeln. Wiederholen Sie diese Schichten noch zweimal und achten Sie darauf, dass Sie mit der Artischocke und dem Mozzarella-Käse abschließen. Mit dem zerbröckelten Feta-Käse belegen.

g) Zum 40-minütigen Backen in den Ofen stellen und mit einer Alufolie abdecken. Entfernen Sie die Alufolie und backen Sie weitere 15 Minuten weiter.

h) Herausnehmen und vor dem Servieren 10 Minuten ruhen lassen.

42. Knoblauchgarnelen Alfredo Backen

Macht:4 Portionen

Zutaten:

- 10 Unzen Penne
- 3 Esslöffel. aus Butter
- 3 Knoblauchzehen, gehackt
- 1 Pfund Garnelen, geschält und entdarmt
- 3 Esslöffel. Petersilie, frisch und grob gehackt
- 2 Esslöffel. Allzweckmehl
- ¾ Tasse Milch, ganz
- ¼ Tasse Hühnerbrühe, natriumarm
- 1 Tasse Mozzarella-Käse, gerieben
- ¼ Tasse + 2 Esslöffel. Parmesankäse, gerieben
- Prise schwarzer Pfeffer und Salz
- 2 Tomaten, groß und gehackt

Richtungen:

a) Heizen Sie den Ofen auf 350 Grad vor.

b) Während der Ofen aufheizt, stellen Sie einen großen Topf mit mit Salz gewürztem Wasser auf hohe Hitze. Zum Kochen bringen. Sobald das Wasser kocht, fügen Sie die Penne hinzu und kochen Sie sie 8 bis 10 Minuten lang oder bis sie weich sind. Sobald die Nudeln weich sind, abtropfen lassen und beiseite stellen.

c) Stellen Sie eine große Pfanne auf mittlere Hitze. Fügen Sie einen Löffel Butter hinzu. Sobald die Butter geschmolzen ist, fügen Sie den gehackten Knoblauch, die geschälten Garnelen und die gehackte Petersilie hinzu. Mit einer Prise Salz würzen und auf jeder Seite 2 Minuten braten, oder bis sie rosa sind. Nehmen Sie die Garnelen heraus und geben Sie sie auf einen großen Teller.

d) Die restliche Butter in die Pfanne geben. Sobald es geschmolzen ist, das Mehl hinzufügen und verrühren, bis eine glatte Masse entsteht. 1 bis 2 Minuten kochen lassen oder bis die Farbe goldfarben ist.

e) Fügen Sie die Vollmilch und die natriumarme Hühnerbrühe hinzu. Zum Mischen umrühren und diese Mischung zum Kochen bringen. Fügen Sie ¾ Tasse geriebenen Mozzarella-Käse und ¼ Tasse geriebenen Parmesan hinzu. Gut umrühren und weiterkochen, bis eine cremige Konsistenz entsteht. Mit einer Prise Salz und schwarzem Pfeffer würzen.

f) Geben Sie die Garnelen zusammen mit den Tomaten und der gekochten Penne wieder in die Pfanne. Zum Mischen umrühren. Wenn die Soße zu dick ist, noch mehr Milch dazugeben.

g) Die Nudelmischung in eine große Auflaufform füllen. Den restlichen Mozzarella und Parmesankäse darüber streuen.

h) Im Ofen 5 bis 7 Minuten lang backen oder bis der Käse vollständig geschmolzen ist.

i) Schalten Sie den Ofen auf Grillen und lassen Sie das Gericht 3 Minuten lang grillen, oder bis die Oberfläche goldbraun ist.

j) Herausnehmen und sofort mit gehackter Petersilie garniert servieren.

43. Mit Caprese gefüllte Nudelschalen

Macht:4 Portionen

Zutaten:

- 15 Jumbo-Muscheln
- 2 Tassen Ricotta-Käse
- 1 Tasse Mozzarella-Käse, gerieben
- ¾ Tasse sonnengetrocknete Tomaten, mit Olivenöl verpackt, gehackt und gleichmäßig verteilt
- 2 Esslöffel. Basilikum, frisch und gehackt
- Prise Salz und schwarzer Pfeffer
- ½ Tasse Hühnerbrühe, natriumarm
- ½ Tasse Sahne

Richtungen:

a) Heizen Sie den Ofen auf 350 Grad vor.

b) Während der Ofen aufheizt, stellen Sie einen großen Suppentopf mit Salzwasser auf hohe Hitze. Zum Kochen bringen. Sobald das Wasser zu kochen beginnt, die Nudelschalen hinzufügen. Gemäß den Anweisungen auf der Packung kochen, bis sie weich sind. Abgießen und zum Abkühlen beiseite stellen.

c) Verwenden Sie eine große Rührschüssel und geben Sie den Ricotta-Käse, den geriebenen Mozzarella-Käse, das gehackte Basilikum und die Hälfte der Tomaten hinzu. Mit einer Prise Salz und schwarzem Pfeffer würzen. Zum Mischen gut umrühren.

d) Geben Sie dann in einem kleinen Topf bei schwacher Hitze die Hühnerbrühe, die Sahne und die restlichen Tomaten hinzu. Diese Mischung auf niedriger Stufe köcheln lassen und 5 Minuten kochen lassen.

e) Gießen Sie die Soße in eine große Auflaufform.

f) Die Ricotta-Käse-Mischung in die Schalen geben und in die Auflaufform geben. Etwas Soße über die Schalen geben.

g) Im Ofen 20 Minuten lang backen oder bis der Käse geschmolzen ist. Herausnehmen und sofort servieren.

44. Bucatini mit Pesto und Süßkartoffeln

Macht:4 Portionen

Zutaten:

- 1 Süßkartoffel, geschält und in Würfel geschnitten
- 1 rote Zwiebel, in kleine Spalten geschnitten
- 1/3 Tasse + 2 Esslöffel. Olivenöl, gleichmäßig verteilt
- Prise Salz und schwarzer Pfeffer
- 4 Tassen Grünkohl, frisch und zerrissen
- ½ Tasse Petersilie, glattes Blatt und frisch
- 2 Unzen Parmesankäse, frisch gerieben und extra zum Servieren
- 1 Knoblauchzehe
- 2 Teelöffel. Zitronenschale
- 1 ½ Esslöffel. Zitronensaft, frisch
- 12 Unzen Bucatini
- Pinienkerne, leicht geröstet und zum Servieren

Richtungen:

a) Heizen Sie zunächst den Ofen auf 425 Grad vor.

b) Während der Ofen aufheizt, verwenden Sie ein großes Backblech und geben Sie die gewürfelten Kartoffeln, die Zwiebelspalten und die zwei Esslöffel Olivenöl hinein. Zum Mischen umrühren. Mit einer Prise Salz und schwarzem Pfeffer würzen.

c) Im Ofen 24 bis 26 Minuten lang backen oder bis die Kartoffeln und Zwiebelspalten weich sind.

d) Während dieser Zeit den Grünkohl und die gehackte Petersilie in eine Küchenmaschine geben. 5 Mal pulsieren oder bis es zerkleinert ist. Dann den Parmesankäse, die Knoblauchzehe, die frische Zitronenschale und den frischen Zitronensaft hinzufügen. Pulsieren Sie erneut für weitere 12 Mal.

e) Die restliche 1/3 Tasse Olivenöl langsam in die Mischung träufeln und weiter pulsieren lassen. Mit einer Prise Salz und schwarzem Pfeffer würzen.

f) Anschließend die Nudeln in kochendem Wasser weich kochen. Nach dem Garen die Nudeln abtropfen lassen und beiseite stellen. Stellen Sie sicher, dass Sie ¼ Tasse Nudelwasser aufbewahren.

g) Die gekochten Nudeln, das frisch zubereitete Pesto und das geröstete Gemüse in eine große Schüssel geben. Zum Mischen umrühren. Gießen Sie das Nudelwasser hinzu und rühren Sie es erneut um, um es zu vermischen.

h) Sofort mit Parmesankäse und gerösteten Pinienkernen servieren.

45. Büffel HUHN Alfredo Backen

Macht:6 Portionen

Gesamtvorbereitungszeit:55 Minuten

Zutaten:

- ¼ Tasse Büffelsauce
- 2 Tassen Brathähnchen, gewürfelt
- 15 Unzen Alfredo-Sauce
- 8 Unzen Mozzarella-Käse, gerieben
- 16 Unzen Muschelnudeln, gekocht

Richtungen:

a) Heizen Sie zunächst den Ofen auf 350 Grad vor.

b) Während der Ofen aufheizt, verwenden Sie eine kleine Schüssel und geben Sie die Büffelsauce und das gewürfelte Hähnchen hinzu. Gut umrühren und beiseite stellen.

c) In einer separaten mittelgroßen Schüssel die Alfredo-Sauce, gekochte Muschelnudeln und 3 Unzen Mozzarella-Käse hinzufügen. Gut umrühren und beiseite stellen.

d) Die Hälfte der Nudelmischung in eine große Auflaufform geben. Mit der Hühnermischung auffüllen und mit der restlichen Nudelmischung bedecken. Den restlichen Mozzarella-Käse darüber streuen.

e) Mit einem Blatt Aluminiumfolie abdecken. Zum Backen 30 Minuten in den Ofen stellen.

f) Nach dieser Zeit die Aluminiumfolie entfernen und weitere 5 bis 10 Minuten backen oder bis der Käse geschmolzen ist und Blasen bildet.

g) Aus dem Ofen nehmen und vor dem Servieren 5 Minuten ruhen lassen.

46. Queso Mac und Käse

Macht:8 Portionen

Zutaten:

- 1 Pfund Ellbogenmakkaroni
- Prise Salz und schwarzer Pfeffer
- 12 Unzen amerikanischer Käse, weiß
- 8 Unzen Cheddar-Käse, extra scharf
- 6 Esslöffel. ungesalzene Butter
- 6 Esslöffel. Allzweckmehl
- 4 Tassen Vollmilch
- 2 8-Unzen-Dosen Tomaten und grüne Chilis, gewürfelt
- 1,8-Unzen-Dose grüne Chilis, mild
- ½ Tasse Korianderblätter, frisch und grob gehackt
- 1 Tasse Tortillachips, zerkleinert
- ½ Teelöffel. Chilipulver

Richtungen:

a) Heizen Sie zunächst den Ofen auf 425 Grad vor.

b) Während der Ofen aufheizt, kochen Sie die Nudeln in einem Topf mit Wasser gemäß den Anweisungen auf der Packung. Sobald die Nudeln gar sind, abgießen und beiseite stellen.

c) In einer mittelgroßen Schüssel den amerikanischen Käse und den Cheddar-Käse hinzufügen. Zum Mischen gut umrühren.

d) Stellen Sie einen großen Schmortopf auf mittlere Hitze. Die ungesalzene Butter hinzufügen. Sobald die Butter geschmolzen ist, das Mehl hinzufügen. Alles glatt rühren und 1 Minute kochen lassen. Die Milch hinzufügen und verrühren. 8 Minuten weiterkochen oder bis eine dicke Konsistenz entsteht.

e) Fügen Sie die Dosentomaten und Chilis hinzu. 2 Minuten kochen lassen, bevor es vom Herd genommen wird.

f) Fügen Sie 4 Tassen der Käsemischung hinzu und rühren Sie alles gut um, bis eine glatte Konsistenz entsteht.

g) Die gekochten Nudeln und den Koriander dazugeben. Gut vermischen und mit einer Prise Salz und schwarzem Pfeffer würzen.

h) Übertragen Sie diese Mischung in eine große gefettete Auflaufform.

i) Geben Sie die Tortillachips, das Chilipulver und die restliche Tasse Käse in eine kleine Schüssel. Gut vermischen und über die Nudeln streuen.

j) Zum Backen für 12 bis 15 Minuten in den Ofen stellen.

k) Herausnehmen und mit einer Garnitur Koriander servieren.

47. Cremige Hähnchen- und Brokkoli-Pesto-Fliegen

Macht:4 Portionen

Zutaten:

- 2 Tassen Brokkoli, in Röschen geschnitten
- Prise Salz und schwarzer Pfeffer
- 1 Bund Basilikum, frisch und grob gehackt
- 2 Knoblauchzehen
- ¼ Tasse Olivenöl, extra vergine
- 2 Teelöffel. Zitronenschale, frisch
- 3 Unzen Parmesankäse, frisch gerieben
- 4 Unzen Mascarpone
- 2 Tassen Brathähnchen, zerkleinert
- 1/3 Tasse Pekannüsse, geröstet und gehackt
- ½ Pfund Farfalle
- ¼ Teelöffel. rote Paprikaflocken, zerstoßen

Richtungen:

a) Kochen Sie zunächst den Brokkoli in etwas Salzwasser in einem großen Topf bei mittlerer Hitze. 5 Minuten kochen lassen oder bis es weich ist. In eine große Schüssel umfüllen.

b) Geben Sie die Nudeln neben das Wasser und kochen Sie sie gemäß den Anweisungen auf der Packung. Sobald die Nudeln gar sind, die Nudeln abtropfen lassen und beiseite stellen.

c) Verwenden Sie eine Küchenmaschine und fügen Sie gehacktes Basilikum, Knoblauchzehen, zerstoßene rote Paprikaflocken und Parmesankäse hinzu. Auf höchster Stufe pulsieren, bis alles zerkleinert ist. Dann den Brokkoli dazugeben und 4 bis 6 Mal zerkleinern, bis er grob gehackt ist. Mit einer Prise Salz und schwarzem Pfeffer würzen.

d) Das Pesto zusammen mit der Mascarpone in eine große Schüssel geben. Die gekochten Nudeln dazugeben und vermengen. Das Hähnchen dazugeben und vorsichtig unterheben.

e) Sofort servieren.

48. Spaghetti mit roten Zwiebeln und Speck

Macht:6 Portionen

Zutaten:

- Prise Salz und schwarzer Pfeffer
- 1 Pfund Spaghetti
- 1 ¼ Pfund Speck, dick geschnitten
- 1 rote Zwiebel, mittelgroß und in dünne Scheiben geschnitten
- 1,8-Unzen-Dose Tomaten, ganz und geschält
- .13 Teelöffel. rote Paprikaflocken, zerstoßen
- 1 ½ Unze Pecorino Romano

Richtungen:

a) Füllen Sie einen großen Topf mit Salzwasser. Auf mittlere Hitze stellen und das Wasser zum Kochen bringen. Sobald es kocht, die Spaghetti dazugeben und 8 bis 10 Minuten kochen lassen, bis sie weich sind. Nach dem Garen abgießen und beiseite stellen.

b) Stellen Sie eine große Pfanne auf mittlere Hitze. Fügen Sie den Speck hinzu und kochen Sie ihn 5 Minuten lang oder bis er weich ist.

c) Dann die in Scheiben geschnittenen roten Zwiebeln dazugeben und 10 Minuten weiterkochen, bis die Zwiebeln glasig sind.

d) Fügen Sie die Dosentomaten und die zerstoßenen roten Paprikaflocken hinzu. Zum Mischen gut umrühren und 8 Minuten weiterkochen, oder bis die Soße reduziert ist.

e) Geben Sie die Nudeln und ¼ Tasse Nudelwasser in die Pfanne. Zum Mischen gut umrühren.

f) Mit einer Prise Salz und Pfeffer würzen. Mit einer Prise Pecorino Romano servieren.

49. Pasta mit Wurst und Brokkoli Rabe

Macht:6 Portionen

Zutaten:

- 12 Unzen italienische Hühnerwurst
- 2 Esslöffel. Olivenöl, extra vergine
- 1 Bund Broccoli Rabe
- ½ Pfund Cavatelli-Nudeln
- 4 Knoblauchzehen

Richtungen:

a) Geben Sie die Hühnerwurst und eine halbe Tasse Wasser in eine große Pfanne. Stellen Sie die Pfanne auf niedrige bis mittlere Hitze. Abdecken und 10 Minuten kochen lassen. Nach dieser Zeit die Wurst abtropfen lassen. Schneiden Sie die Wurst in 1/3-Zoll-Scheiben.

b) In derselben Pfanne Olivenöl hinzufügen und bei mittlerer bis hoher Hitze erhitzen. Fügen Sie die Hühnerwurst hinzu und kochen Sie sie 6 Minuten lang oder bis sie braun ist. Nehmen Sie die Wurst heraus und legen Sie sie auf einen großen Teller.

c) Stellen Sie einen großen Topf mit Salz gewürztes Wasser auf mittlere Hitze. Den Broccoli Rabe dazugeben und 1 bis 2 Minuten kochen lassen oder bis die Blätter leicht welk sind. Den Brokkoli in ein großes Sieb geben und abtropfen lassen.

d) Die Cavatelli in den Topf geben und gemäß den Anweisungen auf der Packung kochen.

e) Geben Sie in derselben Pfanne bei mittlerer bis hoher Hitze den Broccoli Rabe und den Knoblauch hinzu. 4 Minuten kochen lassen oder bis der Brokkoli weich ist. Fügen Sie die Wurst hinzu und reduzieren Sie die Hitze auf eine niedrige Stufe.

f) Die gekochten Cavatelli abseihen und eine halbe Tasse Nudelwasser auffangen. Geben Sie das Wasser in die Pfanne und geben Sie die Nudeln hinein. Die Pfanne ablöschen und vermengen.

g) Vom Herd nehmen und sofort servieren.

50. Makkaroni und Gruyère-Käse

Macht:8 Portionen

Zutaten:

- 1 Pfund Ellbogenmakkaroni
- 3 Tassen Gruyère-Käse, gerieben
- 3 Tassen halb und halb
- 4 Eigelb, groß
- 3 Esslöffel. ungesalzene Butter
- Prise Salz

Richtungen:

a) Heizen Sie zunächst den Ofen auf 325 Grad vor.

b) Während der Ofen aufheizt, stellen Sie einen großen Suppentopf mit Salzwasser auf mittlere bis hohe Hitze. Bringen Sie das Wasser zum Kochen. Sobald das Wasser kocht, die Makkaroni hinzufügen. Nach den Anweisungen auf der Packung kochen. Nach dem Garen die Makkaroni abtropfen lassen und unter fließendem Wasser abspülen. Abtropfen lassen und in eine große Schüssel geben.

c) Geben Sie 2 2/3 Tassen Gruyere-Käse in die Schüssel mit den gekochten Makkaroni. Zum Mischen umrühren.

d) Verwenden Sie eine kleine Schüssel und geben Sie die Hälfte des großen Eigelbs und 3 Esslöffel geschmolzene Butter hinzu. Gut umrühren und diese Mischung über die gekochten Nudeln gießen.

e) Übertragen Sie diese Mischung in eine große Auflaufform. Mit einem Blatt Aluminiumfolie abdecken.

f) Zum Backen 30 Minuten in den Ofen stellen. Nach dieser Zeit die Makkaroniform aus dem Ofen nehmen. Den restlichen Greyerzer darüber streuen.

g) Zurück in den Ofen stellen und 20 bis 25 Minuten lang backen, bis die Oberfläche goldbraun ist. Herausnehmen und sofort servieren.

51. Vollkornspaghetti mit Kirschtomaten

Macht:6 Portionen

Zutaten:

- 2 Pints Tomaten, Kirsche
- Prise Salz und schwarzer Pfeffer
- 1 Zweig Thymianblätter, frisch
- ½ Tasse Olivenöl, extra vergine
- 1 Teelöffel. Olivenöl, extra vergine
- 1 Pfund Spaghetti, Vollkorn
- 1/3 Tasse Petersilie, frisch und grob gehackt
- 6 Esslöffel. Ricotta-Käse

Richtungen:

a) Heizen Sie zunächst den Ofen auf 325 Grad vor.

b) Während der Ofen aufheizt, legen Sie die Tomaten auf eine große Backform. Mit einer Prise Salz und einer Prise Thymianblättern würzen. ¼ Tasse Olivenöl darüber träufeln.

c) In den Ofen geben und 20 bis 25 Minuten lang rösten, bis es weich ist.

d) Einen großen Topf mit Salzwasser auf mittlere Hitze stellen. Bringen Sie das Wasser zum Kochen. Sobald es kocht, die Spaghetti hinzufügen. 8 bis 10 Minuten kochen lassen oder bis es weich ist. Abtropfen lassen und in eine große Schüssel geben.

e) Gehackte Petersilie, ¼ Tasse Olivenöl und geröstete Tomaten in die Schüssel mit den gekochten Spaghetti geben. Mit einer Prise Salz und schwarzem Pfeffer würzen. Zum Mischen umrühren.

f) Sofort mit 1 Esslöffel Ricotta-Käse und einem Teelöffel Olivenöl darüber servieren.

52. Fettuccine Alfredo

Macht:6 Portionen

Zutaten:

- 24 Unzen Fettuccini-Nudeln, trocken
- 1 Tasse Butter
- ¾ Pint Sahne
- Prise Salz und schwarzer Pfeffer
- Prise Knoblauchsalz
- ¾ Tasse Romano-Käse, gerieben
- ½ Tasse Parmesankäse, gerieben

Richtungen:

a) Füllen Sie einen großen Topf mit Salzwasser. Auf mittlere bis hohe Hitze stellen und das Wasser zum Kochen bringen. Sobald das Wasser kocht, fügen Sie die Fettuccini-Nudeln hinzu und kochen Sie sie 8 bis 10 Minuten lang oder bis sie weich sind. Sobald die Nudeln weich sind, abtropfen lassen und beiseite stellen.

b) Dann einen großen Topf verwenden und bei schwacher Hitze erhitzen. Butter dazugeben. Sobald die Butter geschmolzen ist, fügen Sie die Sahne hinzu.

c) Die Sauce mit einer Prise Salz und schwarzem Pfeffer würzen. Mit einer Prise Knoblauchsalz würzen.

d) Romano und Parmesan dazugeben. Rühren, bis der Käse geschmolzen und dickflüssig ist.

e) Die Nudeln zur Soße geben und verrühren.

f) Vom Herd nehmen und sofort servieren.

53. Makkaroni und Käse mit Hühnchen

Macht:4 Portionen

Gesamtvorbereitungszeit:1 Stunde und 20 Minuten

Zutaten:

- 3 Esslöffel. ungesalzene Butter
- 1 ½ Teelöffel Meersalz
- Prise schwarzer Pfeffer und Salz
- ½ Pfund Penne-Nudeln
- 1 Esslöffel. Olivenöl, extra vergine
- 1 Zwiebel, klein und in dünne Scheiben geschnitten
- 1 ½ Tasse Mozzarella-Käse, geräuchert und gerieben
- 1 ½ Tasse Brathähnchen, gekocht und zerkleinert
- 1 Tasse Parmigiano-Reggiano-Käse, gerieben
- 1 Esslöffel. Rosmarin, frisch und grob gehackt
- 3 Esslöffel. Allzweckmehl
- 2 ½ Tassen Vollmilch
- 2 Knoblauchzehen

Richtungen:

a) Heizen Sie zunächst den Ofen auf 450 Grad vor. Während der Ofen aufheizt, eine große Auflaufform mit Butter bestreichen.

b) Stellen Sie einen großen, mit Salzwasser gefüllten Topf auf mittlere bis hohe Hitze. Sobald das Wasser kocht, die Penne-Nudeln hinzufügen. 11 Minuten kochen lassen oder bis die Nudeln weich sind. Einmal weich. Die Nudeln abgießen und unter kaltem Wasser abschrecken. Die Nudeln noch einmal abgießen und in eine große Schüssel geben.

c) Stellen Sie eine mittelgroße Pfanne auf mittlere Hitze. Fügen Sie das Olivenöl hinzu und sobald das Öl heiß genug ist, fügen Sie die geschnittenen Zwiebeln und eine Prise Meersalz hinzu. 10

Minuten kochen lassen oder bis die Zwiebel weich und goldbraun ist. Die Zwiebel zu den Nudeln geben und vermischen.

d) Den Mozzarella-Käse, das Brathähnchen, 2/3 Tasse Parmesankäse und frischen Rosmarin mit den Nudeln und Zwiebeln in die Schüssel geben. Zum Mischen umrühren.

e) Verwenden Sie einen mittelgroßen Topf und stellen Sie ihn auf niedrige bis mittlere Hitze. Butter dazugeben. Sobald die Butter geschmolzen ist, fügen Sie das Allzweckmehl hinzu. 3 Minuten lang verquirlen, bis eine glatte Masse entsteht. Dann die Milch hinzufügen und weiter verrühren, bis alles gut vermischt ist.

f) Fügen Sie die Knoblauchzehen und 1 ½ Teelöffel hinzu. Meersalz. Zum Mischen umrühren und die Mischung zum Kochen bringen. Reduzieren Sie die Hitze auf eine niedrige Stufe und kochen Sie unter Rühren weiter, bis die Mischung eine dickflüssige Konsistenz hat. Die Knoblauchzehen herauswerfen und die Soße zu den Nudeln geben.

g) Mit einer Prise Pfeffer würzen. Umrühren, um die Nudeln zu bedecken.

h) Die Mischung in die gefettete Auflaufform geben.

i) Den restlichen Parmesankäse darüber streuen und mit einer Prise Pfeffer würzen.

j) Zum Backen in den Ofen geben und 12 bis 15 Minuten lang goldbraun backen. Herausnehmen und vor dem Servieren 15 Minuten ruhen lassen.

54. Rigatoni mit Wurst, Erbsen und Pilzen

Macht:6 Portionen

Zutaten:

- 1 ¼ Pfund italienische Wurst, süß
- Prise Salz und schwarzer Pfeffer
- 12 Unzen Rigatoni
- 12 weiße Champignons, groß
- ½ Tasse Weißwein, trocken
- 1 Knoblauchzehe, ganz
- 1 Zweig Thymian, frisch
- Thymianblätter zum Garnieren
- 1 ½ Tasse Erbsen, frisch
- 1 Tasse Sahne
- 2 Esslöffel. ungesalzene Butter

Richtungen:

a) Stellen Sie eine große Pfanne auf mittlere Hitze. Fügen Sie die Wurst und 1 ¼ Tassen Wasser hinzu. 10 Minuten kochen lassen, bevor es auf ein Schneidebrett gelegt wird. In dicke Münzen schneiden. Schütte das Wasser weg.

b) Geben Sie in derselben Bratpfanne bei mittlerer bis hoher Hitze die Wurstmünzen hinzu und braten Sie sie auf jeder Seite 3 bis 4 Minuten lang oder bis sie braun sind. Herausnehmen und auf einen großen Teller legen.

c) Stellen Sie während dieser Zeit einen großen, mit Salzwasser gefüllten Topf auf hohe Hitze. Sobald das Wasser kocht, die Rigatoni hinzufügen. Gemäß den Anweisungen auf der Packung kochen und dann abtropfen lassen. Stellen Sie sicher, dass Sie 1/3 Tasse Nudelwasser aufbewahren. Beiseite legen.

d) In derselben Pfanne bei mittlerer bis hoher Hitze die Pilze hinzufügen. Im Wurstfett 8 Minuten garen, bis die Wurst goldbraun ist.

e) Den getrockneten Wein hinzufügen und den Boden der Pfanne ablöschen.

f) Die Wurst in die Pfanne geben. Geben Sie das beiseite gestellte Nudelwasser und die frischen Erbsen hinzu. Die Sahne dazugeben und umrühren. Weiter 6 bis 8 Minuten kochen lassen oder bis die Mischung eine dicke Konsistenz hat. Thymian und Knoblauch entfernen.

g) Die Butter dazugeben und mit einer Prise Salz und schwarzem Pfeffer würzen.

h) Die gekochten Rigatoni dazugeben und vermengen. 2 bis 3 Minuten kochen lassen.

i) Vom Herd nehmen und mit einer Thymiangarnitur servieren.

55. Klassische Penne a la Vodka

Macht:6 Portionen

Gesamtvorbereitungszeit:45 Minuten

Zutaten:

- 2 Esslöffel. Olivenöl, extra vergine
- 2 Knoblauchzehen, gehackt
- 1 28-Unzen-Dose Tomaten, ganz und geschält
- ½ Tasse Basilikum, frisch und grob gehackt
- Prise Salz und schwarzer Pfeffer
- ¼ Tasse Wodka
- 1 Pfund Penne-Nudeln
- 1 Pint Sahne

Richtungen:

a) Stellen Sie eine große Pfanne auf mittlere Hitze. Fügen Sie das Olivenöl hinzu und sobald das Öl heiß genug ist, fügen Sie den Knoblauch hinzu. 1 bis 2 Minuten kochen lassen.

b) Die Tomaten dazugeben und mit einer Gabel zerkleinern.

c) Den gehackten Basilikum dazugeben und mit einer Prise Salz und schwarzem Pfeffer würzen. 15 Minuten köcheln lassen.

d) Den Wodka dazugeben und gut umrühren. Weitere 15 Minuten weiterkochen.

e) Während dieser Zeit die Nudeln zubereiten. Stellen Sie dazu einen großen Topf mit Salzwasser auf starke Hitze. Sobald das Wasser zu kochen beginnt, die Penne-Nudeln hinzufügen. 8 bis 10 Minuten kochen lassen oder bis es weich ist. Abtropfen lassen und beiseite stellen.

f) Die Sahne in die Soße geben und weitere 10 Minuten kochen lassen.

g) Vom Herd nehmen und die gekochten Nudeln hinzufügen. Mischen und sofort servieren.

56. Hummer-Nudel-Auflauf

Macht:4 Portionen

Gesamtvorbereitungszeit:1 Stunde

Zutaten:

- 2 Hummer, frisch
- 3 Esslöffel. aus Salz
- ½ Teelöffel. aus Salz
- 3 Esslöffel. aus Butter
- 1 Schalotte
- 1 Esslöffel. Tomatenmark
- 3 Knoblauchzehen
- ¼ Tasse Brandy
- ½ Tasse Sahne
- 1 Teelöffel. schwarzer Pfeffer
- ½ Pfund Eiernudeln
- 1 Esslöffel. Zitronensaft, frisch
- 6 Zweige Thymian

Richtungen:

a) Das erste, was Sie tun möchten, ist, die Hummer zu kochen. Füllen Sie dazu eine große Schüssel zur Hälfte mit Eiswasser. Beiseite legen.

b) Stellen Sie dann einen großen Topf mit Wasser auf hohe Hitze. 3 Esslöffel Salz hinzufügen und das Wasser zum Kochen bringen. Sobald das Wasser kocht, tauchen Sie die Hummer hinein. Reduzieren Sie die Hitze auf eine niedrige Stufe und kochen Sie es zugedeckt 4 Minuten lang.

c) Nach dieser Zeit die Hummer sofort in das vorbereitete Eisbad geben.

d) Nach dem Abkühlen die Schalen aufschlagen und das Fleisch vom Schwanz und den Scheren lösen. Legen Sie die Schalen beiseite.

e) Das Hummerfleisch in kleine Stücke schneiden. Beiseite legen.

f) Heizen Sie zunächst den Ofen auf 350 Grad vor. Während der Ofen aufheizt, nehmen Sie eine große Auflaufform und bestreichen Sie diese mit 1 Tasse Mehl und Butter.

g) Stellen Sie eine mittelgroße Pfanne auf mittlere Hitze und geben Sie die Butter hinein. Sobald die Butter geschmolzen ist, die Schalotte hinzufügen. 1 bis 2 Minuten kochen lassen oder bis es weich ist.

h) Dann die beiseite gestellten Nudelschalen, Tomatenmark und Knoblauch dazugeben. Gut umrühren und 5 Minuten kochen lassen.

i) Nehmen Sie die Pfanne vom Herd und geben Sie den Brandy hinzu. Wieder auf den Herd stellen und verrühren. Reduzieren Sie die Hitze auf eine niedrige Stufe und fügen Sie 1 ½ Tassen Wasser hinzu. 15 Minuten weiterkochen lassen, bis eine dickflüssige Konsistenz entsteht.

j) Die Mischung abseihen und die Sahne hinzufügen, ½ Teelöffel. Salz und 1 Teelöffel. schwarzer Pfeffer.

k) Gießen Sie die Sahne zurück in die Pfanne und fügen Sie die Eiernudeln, das gekochte Hummerfleisch und den frischen Zitronensaft hinzu. Zum Überziehen wenden.

l) Gießen Sie die Mischung in die vorbereitete Auflaufform. Mit einem Blatt Aluminiumfolie abdecken und im Ofen 20 Minuten lang backen oder bis das Hummerfleisch vollständig durchgegart ist.

m) Herausnehmen und sofort mit einer Garnitur aus Thymianzweigen servieren.

57. Fliegen mit Wurst, Tomaten und Sahne

Macht:6 Portionen

Zutaten:

- 1, 12-Unzen-Packung Fliegenudeln
- 2 Esslöffel. Olivenöl, extra vergine
- 1 Pfund italienische Wurst, süß, Hülle entfernt und zerbröselt
- ½ Teelöffel. rote Paprikaflocken, zerstoßen
- ½ Tasse Zwiebel, gewürfelt
- 3 Knoblauchzehen, gehackt
- 1 28-Unzen-Dose Pflaumentomaten, italienische, abgetropft und grob gehackt
- 1 ½ Tassen Sahne
- ½ Teelöffel. aus Salz
- 3 Esslöffel. Petersilie, frisch und gehackt

Richtungen:

a) Stellen Sie zunächst einen großen Topf mit Salzwasser auf starke Hitze. Bringen Sie das Wasser zum Kochen und fügen Sie die Fliegennudeln hinzu. 8 bis 10 Minuten kochen lassen oder bis es weich ist. Abtropfen lassen und beiseite stellen.

b) Stellen Sie eine große Pfanne auf mittlere Hitze. Fügen Sie das Olivenöl hinzu. Sobald das Öl heiß genug ist, fügen Sie die Wurst und die zerstoßenen roten Paprikaflocken hinzu. 5 bis 10 Minuten kochen lassen oder bis es braun ist.

c) Dann die in Scheiben geschnittene Zwiebel und den gehackten Knoblauch hinzufügen. Gut umrühren und 5 Minuten weiterkochen, bis die Zwiebel weich ist.

d) Tomaten, Sahne und ½ Teelöffel hinzufügen. aus Salz. Zum Mischen umrühren und 8 bis 10 Minuten köcheln lassen.

e) Nach dieser Zeit die gekochten Nudeln dazugeben und vermengen. 1 bis 2 Minuten kochen lassen oder bis es kochend heiß ist.

f) Vom Herd nehmen und sofort mit einer Prise frischer Petersilie servieren.

58. Truthahn und Steinpilz-Tetrazzini

Macht:6 Portionen

Zutaten:

- 1 Packung Steinpilze, getrocknet
- 2 ½ Tasse gebratener Truthahn, groß
- 8 Unzen Eiernudeln, breit
- 3 Esslöffel. Olivenöl, extra vergine
- 3 Esslöffel. Schalotten, gehackt
- 1 Teelöffel. Thymianblätter, frisch und gehackt
- Prise Cayennepfeffer
- 3 Esslöffel. Allzweckmehl
- 2 ½ Tassen Vollmilch
- 1 Esslöffel. Cognac
- ¼ Teelöffel. aus Salz
- ½ Tasse Parmesankäse, gerieben
- ½ Tasse Semmelbrösel

Richtungen:

a) Heizen Sie zunächst den Ofen auf 325 Grad vor.

b) Während der Ofen aufheizt, die Pilze in eine große Schüssel geben. Mit Wasser bedecken und einige Minuten einweichen. Lassen Sie nach dieser Zeit 1 ½ Tassen Einweichflüssigkeit abtropfen und bewahren Sie sie auf. Die Pilze in kleine Stücke schneiden und in eine große Schüssel geben.

c) In die Schüssel den gebratenen Truthahn und die Eiernudeln geben. Zum Mischen umrühren.

d) Stellen Sie eine große Pfanne auf mittlere Hitze. Fügen Sie einen Hauch Olivenöl hinzu. Sobald das Öl heiß genug ist, fügen Sie die geschnittenen Schalotten hinzu. 5 Minuten kochen lassen oder bis es weich ist. Fügen Sie die frischen Thymianblätter und eine Prise Cayennepfeffer hinzu. Weitere 2 Minuten kochen lassen oder bis die Schalotten goldbraun sind.

e) Fügen Sie dann das Allzweckmehl hinzu und kochen Sie es 1 bis 2 Minuten lang oder bis es braun ist.

f) Geben Sie die Vollmilch, den Cognac und die zurückbehaltene Einweichflüssigkeit hinzu. Den Boden der Pfanne ablöschen und mit ¼ Teelöffel würzen. aus Salz.

g) Bringen Sie die Mischung zum Kochen und gießen Sie sie dann über die Nudelmischung. Zum Überziehen wenden.

h) Geben Sie diese Mischung in eine große Auflaufform und bedecken Sie sie mit einem Blatt Aluminiumfolie. In den Ofen geben und 25 Minuten backen.

i) Verwenden Sie dann eine kleine Schüssel und geben Sie den geriebenen Parmesankäse und die Semmelbrösel hinein. Zum Mischen gut umrühren.

j) Nehmen Sie den Auflauf aus dem Ofen und streuen Sie die Semmelbröselmischung darüber. Zurück in den Ofen stellen und 10 Minuten lang backen, bis es goldbraun ist.

59. Pasta mit Tomaten und Mozzarella

Macht:4 Portionen

Gesamtvorbereitungszeit:30 Minuten

Zutaten:

- ½ Pfund Mozzarella-Käse, frisch
- ½ Teelöffel. Meersalz
- 1 Tasse Olivenöl, extra vergine
- 4 Esslöffel. aus Butter
- 1 Tasse Vidalia-Zwiebel, in dünne Scheiben geschnitten
- ¼ Tasse Knoblauch, gehackt
- 1 Pfund Penne-Nudeln
- 4 Tassen Tomaten, gereift
- ¾ Tasse Romano-Käse
- ½ Tasse Basilikum, frisch und gehackt

Richtungen:

a) Verwenden Sie eine kleine Schüssel und geben Sie den Mozzarella-Käse und ½ Teelöffel hinzu. aus Salz. Zum Mischen umrühren und beiseite stellen.

b) Füllen Sie einen mittelgroßen Suppentopf mit Wasser und stellen Sie ihn dann auf hohe Hitze. Bringen Sie das Wasser zum Kochen.

c) Stellen Sie eine große Pfanne auf mittlere bis hohe Hitze. Öl und Butter hinzufügen. Sobald die Butter vollständig geschmolzen ist, fügen Sie die Zwiebel und den Knoblauch hinzu. Reduzieren Sie die Hitze auf niedrig. 10 Minuten kochen lassen oder bis es weich ist.

d) Die Nudeln in das kochende Wasser geben. 8 bis 10 Minuten kochen lassen oder bis es weich ist. Abtropfen lassen und beiseite stellen.

e) Die Tomaten zu den Zwiebeln und dem Knoblauch geben. Erhöhen Sie die Hitze auf mittel oder hoch. 5 Minuten weiterkochen oder bis es weich ist.

f) Die gekochten Nudeln in die Tomaten-Zwiebel-Mischung geben. Zum Überziehen wenden.

g) Vom Herd nehmen und die Mozzarella-Mischung und ¼ Tasse Romano-Käse hinzufügen. Gut umrühren, bis der Käse geschmolzen ist.

60. Cremige Pesto-Garnelennudeln

Macht:8 Portionen

Gesamtvorbereitungszeit:30 Minuten

Zutaten:

- 1 Pfund Linguine-Nudeln
- ½ Tasse Butter
- 2 Tassen schwere Schlagsahne
- ½ Teelöffel. schwarzer Pfeffer
- 1 Tasse Parmesankäse, gerieben
- 1/3 Tasse Pesto
- 1 Pfund Garnelen, groß, geschält und entdarmt

Richtungen:

a) Stellen Sie einen großen, mit Salzwasser gefüllten Suppentopf auf hohe Hitze. Bringen Sie das Wasser zum Kochen. Sobald es kocht, die Nudeln dazugeben und 9 bis 11 Minuten kochen lassen, bis sie weich sind. Sobald die Nudeln weich sind, abtropfen lassen und beiseite stellen.

b) Stellen Sie eine große Bratpfanne auf mittlere Hitze. Butter dazugeben. Sobald die Butter geschmolzen ist, fügen Sie die Sahne hinzu. Mit ½ Teelöffel würzen. schwarzen Pfeffer hinzufügen und umrühren. 6 bis 8 Minuten kochen lassen, dabei häufig umrühren.

c) Den Parmesankäse in die Soße geben. Gut umrühren, bis alles vermischt ist.

d) Fügen Sie das Pesto hinzu und kochen Sie es 5 Minuten lang oder bis es eine dickflüssige Konsistenz hat.

e) Fügen Sie die Garnelen hinzu und kochen Sie sie 5 Minuten lang oder bis sie eine rosa Farbe haben. Vom Herd nehmen.

f) Die Sauce über den gekochten Nudeln servieren und sofort genießen.

61. Spinat-Tomaten-Tortellini

Macht:6 Portionen

Gesamtvorbereitungszeit:40 Minuten

Zutaten:

- 1, 16-Unzen-Packung Tortellini, Käse
- 1 14,5-Unzen-Dose Tomaten mit Knoblauch und Zwiebeln, gewürfelt
- 1 Tasse Spinat, frisch und grob gehackt
- ½ Teelöffel. aus Salz
- ¼ Teelöffel. schwarzer Pfeffer
- 1 ½ Teelöffel. Basilikum, getrocknet
- 1 Teelöffel. Knoblauch, gehackt
- 2 Esslöffel. Allzweckmehl
- ¾ Tasse Milch, ganz
- ¾ Tasse Sahne
- ¼ Tasse Parmesankäse, gerieben

Richtungen:

a) Füllen Sie einen großen Suppentopf mit Wasser und stellen Sie ihn auf hohe Hitze. Bringen Sie das Wasser zum Kochen und fügen Sie dann die Tortellini hinzu. Kochen Sie die Nudeln, bis sie zart sind. Dies sollte 10 Minuten dauern.

b) Während die Tortellini kochen, einen großen Topf auf mittlere Hitze stellen. Fügen Sie Spinat, Dosentomaten, Salz und schwarzen Pfeffer, getrocknetes Basilikum und gehackten Knoblauch hinzu. Zum Mischen umrühren und 5 Minuten kochen lassen oder bis die Mischung an der Oberfläche zu sprudeln beginnt.

c) Verwenden Sie dann eine große Schüssel und geben Sie Allzweckmehl, Vollmilch und Sahne hinzu. Umrühren und in die Pfanne gießen. Den Parmesankäse hinzufügen. Zu einer glatten Masse verrühren und 2 Minuten kochen lassen, bis eine dickflüssige Konsistenz entsteht.

d) Die Nudeln abgießen und mit der Soße in die Pfanne geben. Zum Überziehen umrühren und vom Herd nehmen. Sofort servieren.

62. Cajun-Hühnernudeln

Macht:2 Portionen

Zutaten:

- 4 Unzen Linguine-Nudeln
- 2 Hähnchenbrüste, ohne Haut und Knochen, halbiert
- 2 Teelöffel. Cajun-Gewürz
- 2 Esslöffel. aus Butter
- 1 dünn geschnittene rote Paprika
- 4 Champignons, frisch und in dünne Scheiben geschnitten
- 1 dünn geschnittene grüne Paprika
- 1 Frühlingszwiebel, gehackt
- 1 Tasse cremige Sahne
- ¼ Teelöffel. Basilikum, getrocknet
- ¼ Teelöffel. Zitronenpfeffer
- ¼ Teelöffel. aus Salz
- 1/8 Teelöffel. Knoblauch, pulverisiert
- 1/8 Teelöffel. schwarzer Pfeffer
- ¼ Tasse Parmesankäse, frisch gerieben

Richtungen:

a) Stellen Sie einen großen Topf mit Salzwasser auf hohe Hitze. Sobald das Wasser zu kochen beginnt, die Nudeln hinzufügen. 8 bis 10 Minuten kochen lassen oder bis es weich ist. Die Nudeln abgießen und beiseite stellen.

b) Geben Sie das Hühnchen- und Cajun-Gewürz in einen großen Ziploc-Beutel. Zum Überziehen kräftig schütteln.

c) Stellen Sie dann eine große Pfanne auf mittlere Hitze. Hähnchen und Butter dazugeben. 5 bis 7 Minuten kochen lassen oder bis es weich ist.

d) Fügen Sie die dünn geschnittene rote Paprika, die Pilze, die dünn geschnittene grüne Paprika und die geschnittenen Frühlingszwiebeln hinzu. 2 bis 3 Minuten kochen lassen oder bis es weich ist. Reduzieren Sie die Hitze auf niedrig.

e) Fügen Sie Sahne, gehacktes Basilikum, Zitronenpfeffer, Salz, Knoblauchpulver und schwarzen Pfeffer hinzu. Zum Mischen gut umrühren.

f) Die gekochten Nudeln dazugeben und vermengen. Eine weitere Minute weiterkochen oder bis es kochend heiß ist.

g) Vom Herd nehmen und sofort mit einer Prise Parmesankäse servieren.

63. Gepfefferte Garnelen Alfredo

Macht:6 Portionen

Gesamtvorbereitungszeit:50 Minuten

Zutaten:

- 12 Unzen Penne-Nudeln
- ¼ Tasse Butter
- 2 Esslöffel. Olivenöl, extra vergine
- 1 Zwiebel, gewürfelt
- 2 Knoblauchzehen, gehackt
- 1 Paprika, rot gefärbt und gewürfelt
- ½ Pfund Portobello-Pilze, gewürfelt
- 1 Pfund Garnelen, geschält und entdarmt
- 1 15-Unzen-Glas Alfredo-Sauce
- ½ Tasse Romano-Käse, gerieben
- ½ Tasse Sahne
- 1 Teelöffel. Cayennepfeffer
- Prise Salz und schwarzer Pfeffer
- ¼ Tasse Petersilie, frisch und grob gehackt

Richtungen:

a) Stellen Sie einen großen, mit Salzwasser gefüllten Suppentopf auf hohe Hitze. Sobald das Wasser zu kochen beginnt, die Nudeln hinzufügen. 9 bis 11 Minuten kochen lassen oder bis es weich ist. Die Nudeln abgießen und beiseite stellen.

b) Stellen Sie während dieser Zeit eine große Pfanne auf mittlere Hitze. Olivenöl und Butter hinzufügen. Sobald die Butter geschmolzen ist, fügen Sie die Zwiebel hinzu. 2 Minuten kochen lassen oder bis es weich ist.

c) Fügen Sie Knoblauch, gewürfelte rote Paprika und Pilze hinzu. Zum Mischen umrühren und 2 Minuten kochen lassen oder bis es weich ist.

d) Fügen Sie die Garnelen hinzu. Zum Mischen umrühren und 4 Minuten kochen lassen oder bis es weich ist.

e) Geben Sie langsam die Alfredo-Sauce, den geriebenen Käse und die Sahne hinzu. Vorsichtig umrühren, um die Mischung zu vermischen, und diese Mischung zum Kochen bringen. 5 Minuten kochen lassen oder bis eine dicke Konsistenz entsteht.

f) Würzen Sie die Mischung mit Cayennepfeffer, einer Prise Salz und einer Prise schwarzem Pfeffer.

g) Die gekochten Nudeln dazugeben und vermengen.

h) Vom Herd nehmen und sofort mit gehackter Petersilie garniert servieren.

64. Lasagne Verde

FÜR 6 PERSONEN

Zutaten:

- 1 Pasta Verde
- 5 bis 6 Tassen Béchamel
- 2 Pfund frische Brennnesseln oder Brennnesseln und Spinat oder Brennnesseln und Mangold oder eine andere Kombination von Gemüse
- 1 mittelgelbe Zwiebel, fein gehackt
- 2 Esslöffel natives Olivenöl extra
- Meersalz und frisch gemahlener schwarzer Pfeffer
- 2 bis 3 Esslöffel ungesalzene Butter
- 1 Tasse frisch geriebener Parmigiano-Reggiano

Richtungen:

a) Bereiten Sie zunächst den Nudelteig vor.

b) Während der Teig ruht, die Béchamelsauce zubereiten.

c) Machen Sie nun die Füllung: Pflücken Sie das Grün (wenn Sie Brennnesseln verwenden, blanchieren Sie es, bevor Sie es mit bloßen Händen anfassen, um den Stachel zu entfernen), entfernen Sie alle gelben oder welken Grüns und entfernen Sie die Blätter von den harten Stielen. Das Grün in Streifen schneiden.

d) Geben Sie die Zwiebel und das Öl auf den Boden eines Hochleistungstopfs und stellen Sie es auf mittlere bis niedrige Hitze. Unter Rühren kochen, bis die Zwiebel weich ist, dann handvoll das Grün unterrühren und jede Handvoll zusammenfallen lassen und leicht zusammenfallen lassen, bevor man weitere hinzufügt. Fügen Sie bei Bedarf ein paar Esslöffel kochendes Wasser hinzu, damit sich das Grün nicht verfängt. Salz und Pfeffer hinzufügen und 8 bis 10 Minuten kochen, bis das Gemüse gar ist.

e) Jetzt können Sie die Nudeln ausrollen, was Sie mit einem Nudelholz und einem Nudelbrett oder mit einer Nudelmaschine tun können. Befolgen Sie die Lasagne-Anleitung und legen Sie die gekochten Lasagneplatten wie beschrieben auf feuchte Küchentücher.

f) Stellen Sie den Ofen auf 450 °F. Fetten Sie den Boden einer 9 x 13 Zoll großen Auflaufform oder Lasagnepfanne mit etwas Butter ein.

g) Verteilen Sie ein paar Esslöffel der grünen Füllung auf dem Boden der Form und legen Sie dann eine Schicht Nudelblätter über die Füllung. Bedecken Sie die Nudelblätter mit etwa einem Drittel der restlichen Füllung und verteilen Sie dann etwas Béchamel darauf. Mit Parmesan bestreuen. Eine weitere Schicht Nudelstreifen hinzufügen und erneut mit Füllung, Béchamel und Käse bedecken. Machen Sie so weiter, bis alle Nudelblätter aufgebraucht sind. Die oberste Schicht sollte aus Bechamelsauce und geriebenem Käse bestehen und mit Butter bestreut werden.

h) 15 bis 20 Minuten backen, bis die Oberfläche Blasen bildet und leicht golden ist. Aus dem Ofen nehmen und vor dem Servieren 15 Minuten ruhen lassen.

65. Pilzlasagne mit Kürbis

FÜR 8 BIS 10 PERSONEN

Zutaten:

- 1 einfacher Pasta-Fresca-Teig
- 1½ Unzen getrocknete Steinpilze
- 3 Pfund frische Pilze, auch wilde, falls verfügbar
- ½ Tasse natives Olivenöl extra
- 1 Esslöffel ungesalzene Butter, plus etwas mehr für die Auflaufform und zum Bestreichen der Oberseite der Lasagne
- 1 Pfund Frühlingszwiebeln, einschließlich zarter grüner Spitzen, oder 1 mittelgelbe Zwiebel, sehr fein gehackt
- 1 Knoblauchzehe, mit der flachen Seite einer Klinge zerdrückt und gehackt
- ½ Tasse fein gehackte glatte Petersilie
- 1 Esslöffel gehackter Thymian
- Meersalz und frisch gemahlener schwarzer Pfeffer
- 5 Tassen Béchamel
- 4 Tassen Winterkürbis, in den großen Löchern einer Kastenreibe zerkleinert
- ¼ bis ⅓ Tasse geriebener Parmigiano-Reggiano- oder Grana-Padano-Käse

Richtungen:

a) Wenn Sie frische Nudeln verwenden, bereiten Sie zunächst den Teig vor.

b) Wenn Sie getrocknete Pilze verwenden, rekonstituieren Sie diese; Bewahren Sie die abgesiebte Einweichflüssigkeit auf, um sie bei Bedarf später hinzuzufügen.

c) Pflücken Sie die frischen Pilze und entfernen Sie jeglichen Schmutz oder beschädigte Stellen. Trennen Sie die Kappen von den Stielen. Die Kappen aufschneiden und die Stiele würfeln.

(Wenn Sie Shiitake-Pilze oder ähnliche Pilze mit harten Stielen verwenden, entsorgen Sie die Stiele.)

d) ¼ Tasse Öl in eine Pfanne geben und bei mittlerer bis hoher Hitze erhitzen. Zwiebeln und Knoblauch dazugeben und unter Rühren schnell anbraten, bis die Zwiebeln gerade anfangen, knusprig und braun zu werden. Die gewürfelten Pilzstiele und die gehackten getrockneten Pilze unterrühren. ¼ Tasse Petersilie und gehackten Thymian hinzufügen. Kochen Sie die Pilze 10 bis 15 Minuten lang oder bis sie gar sind; Mit Salz und Pfeffer würzen und den Inhalt der Pfanne unter die Béchamelsauce rühren.

e) In einer separaten Pfanne die in Scheiben geschnittenen Pilzkappen mit der restlichen ¼ Tasse Petersilie, 1 Esslöffel Öl und 1 Esslöffel Butter vermischen und bei mittlerer bis niedriger Hitze sanft kochen, bis die Pilze gerade gar sind (7 oder 8 Minuten). Nach Geschmack reichlich Salz und Pfeffer hinzufügen. Beiseite legen.

f) Rollen Sie die Nudeln so dünn wie möglich aus.

g) Bringen Sie einen großen Topf mit Salzwasser zum Kochen und stellen Sie eine Schüssel mit Eiswasser bereit. Geben Sie die Nudeln in das kochende Wasser und kochen Sie sie wie in der Anleitung beschrieben. Legen Sie dazu die gekochten Nudelblätter auf saubere Küchentücher.

h) Stellen Sie den Ofen auf 350 °F ein.

i) Den Boden und die Seiten einer rechteckigen Auflaufform (20 x 30 cm) mit einer Tiefe von mindestens 5 cm leicht einfetten.

j) Verteilen Sie ein paar Esslöffel Béchamel auf dem Boden der Auflaufform und legen Sie dann eine Schicht Nudelblätter darauf. Etwa ein Viertel der Béchamelsauce in einer Schicht über die Nudeln geben, dann etwa ein Drittel der sautierten Pilzköpfe und ein Drittel des geriebenen Kürbisses. Streuen Sie ein paar Esslöffel

Parmigiano über diese Schicht. Wiederholen Sie diese Schichten – Nudeln, Béchamel, Pilzköpfe, geriebener Kürbis und Käse –, bis die Pfanne voll ist und die Füllung aufgebraucht ist. Für die oberste Schicht den Rest der Béchamelsauce verwenden, etwas dicker verteilen und bis zum Rand der Pfanne ausstreichen, um die Nudeln darin zu verschließen.

k) Etwa 30 Minuten lang backen, dann die Hitze auf 400 °F erhöhen. Weitere 10 Minuten backen, oder bis die Lasagne Blasen bildet und die Oberseite goldbraun ist.

l) Nehmen Sie die Lasagne aus dem Ofen und stellen Sie sie vor dem Servieren mindestens 10 bis 15 Minuten oder bis zu einer Stunde an einem warmen Ort beiseite. Dadurch kann sich die Lasagne setzen und lässt sich leichter schneiden und servieren.

66. Palästinensischer Couscous

FÜR 6 BIS 8 PERSONEN

Zutaten:

- Ein kleines frisches Huhn (2½ bis 3 Pfund), vorzugsweise aus Freilandhaltung, in 8 Stücke geschnitten
- Meersalz und frisch gemahlener schwarzer Pfeffer
- ½ Teelöffel gemahlener Kardamom
- ½ Tasse natives Olivenöl extra
- 1 mittelgelbe Zwiebel, ungeschält
- 4 Pimentbeeren
- Eine 2-Zoll-Zimtstange
- 2 Lorbeerblätter
- 2-Sterne-Anis
- Eine Prise gemahlenes Kurkuma
- ½ Teelöffel ganze Kreuzkümmelsamen
- 1½ Tassen gekochte Kichererbsen
- 1 rote Paprika, geputzt und in dünne Scheiben geschnitten
- ½ mittelgroße rote Zwiebel, in Scheiben (längs) geschnitten
- 2 Tassen Maftoul
- ¼ Tasse grob gehackte geröstete Mandeln
- 3 gepflückte Zweige Koriander zum Garnieren

Richtungen:

a) Die Hähnchenteile rundherum mit Salz, Pfeffer und Kardamom einreiben. Erhitzen Sie ¼ Tasse Öl in einem Suppentopf mit dickem Boden bei mittlerer Hitze. Das Hähnchen dazugeben und von allen Seiten kräftig anbraten. Die Hähnchenteile herausnehmen und beiseite stellen. Nehmen Sie den Topf vom Herd. Wenn das Öl abgekühlt ist, kippen Sie es aus und wischen Sie den Topf mit Papiertüchern aus, um alle Spuren von verbranntem Öl zu entfernen.

b) Stellen Sie den Topf wieder auf mittlere bis niedrige Hitze und geben Sie das Hähnchen zusammen mit 8 bis 10 Tassen Wasser hinzu, gerade genug, um das Hähnchen zu bedecken. Schälen Sie die Zwiebel nicht, sondern reiben Sie die lose, papierartige Schale ab. Schneiden Sie dann die Zwiebel in zwei Hälften und geben Sie sie zusammen mit Piment, Zimtstange, Lorbeerblättern, Sternanis, Kurkuma und Kreuzkümmel in den Topf. Den Topf abdecken und zum Kochen bringen. Eine Stunde lang leicht köcheln lassen. Zu diesem Zeitpunkt sollte das Hähnchen gar und sehr zart sein.

c) Das Huhn aus der Brühe nehmen und beiseite stellen. Wenn es kühl genug zum Anfassen ist, legen Sie die Stücke in eine Auflaufform, vorzugsweise eine mit Deckel.

d) Die Gewürzreste und Lorbeerblätter aus der Brühe abseihen und wegwerfen. Sobald die Brühe etwas abgekühlt ist, stellen Sie sie an einen kühlen Ort oder in den Kühlschrank, damit das Fett aufgehen und erstarren kann. Wenn das Fett oben fest ist, schöpfen Sie es mit einem Schaumlöffel ab und entsorgen Sie es.

e) Wenn Sie zum Fortfahren bereit sind, stellen Sie den Ofen auf eine niedrige Temperatur von 200 bis 250 °F.

f) Die entfettete Brühe im Suppentopf wieder auf mittlere Hitze stellen und zum Kochen bringen. Ohne Deckel köcheln lassen, bis die Brühe auf die Hälfte reduziert ist, also auf etwa 4 Tassen.

g) Nehmen Sie 1 Tasse der Brühe ab und gießen Sie sie über die Hähnchenteile in der Auflaufform. Decken Sie das Hähnchen mit einem Deckel oder einem Blatt Aluminiumfolie ab und geben Sie es zum Aufwärmen in den Ofen, während Sie das Maftoul zubereiten.

h) Erwärmen Sie die gekochten Kichererbsen bei Bedarf und fügen Sie ein paar Esslöffel Brühe oder klares Wasser hinzu. Bei schwacher Hitze köcheln lassen, gerade genug, um sie durchzuwärmen. Halten Sie sich warm, während Sie mit dem Maftoul fertig sind.

i) In einer kleinen Pfanne die Paprika- und Zwiebelscheiben mit der restlichen ¼ Tasse Öl vermischen und vorsichtig anbraten, bis die Scheiben weich werden. Fügen Sie das Maftoul hinzu und kochen Sie es unter Rühren etwa 3 Minuten lang, um die Maftoul-Körner leicht zu rösten und ihren Weizengeschmack hervorzuheben. Bringen Sie die Brühe bei Bedarf wieder zum Kochen und fügen Sie Maftoul und Gemüse hinzu. Ohne Deckel 15 Minuten köcheln lassen oder bis die Maftoul-Körner weich sind.

j) Ordnen Sie das Maftoul auf einer Platte an, legen Sie dann die Hähnchenstücke darauf und löffeln Sie die restliche Brühe über das Maftoul. Zum Schluss die Kichererbsen darüber geben und mit den gerösteten Mandeln und Koriander garnieren.

k) Sofort servieren.

67. Mit Mangold gefüllte Manicotti

Ergibt 4 Portionen

Zutaten:

- 12 Manicotti
- 3 Esslöffel Olivenöl
- 1 kleine Zwiebel, gehackt
- 1 mittelgroßer Bund Mangold, harte Stiele abgeschnitten und gehackt
- 1 Pfund fester Tofu, abgetropft und zerbröselt
- Salz und frisch gemahlener schwarzer Pfeffer
- 1 Tasse rohe Cashewnüsse
- 3 Tassen einfache ungesüßte Sojamilch
- 1/8 Teelöffel gemahlene Muskatnuss
- 1/8 Teelöffel gemahlener Cayennepfeffer
- 1 Tasse trockene, ungewürzte Semmelbrösel

Richtungen:

a) Heizen Sie den Ofen auf 350 °F vor. Eine 9 x 13 Zoll große Auflaufform leicht einölen und beiseite stellen.

b) In einem Topf mit kochendem Salzwasser die Manicotti bei mittlerer bis hoher Hitze unter gelegentlichem Rühren etwa 8 Minuten al dente kochen. Gut abtropfen lassen und unter kaltem Wasser laufen lassen. Beiseite legen.

c) In einer großen Pfanne 1 Esslöffel Öl bei mittlerer Hitze erhitzen. Fügen Sie die Zwiebel hinzu, decken Sie sie ab und kochen Sie sie etwa 5 Minuten lang, bis sie weich ist. Fügen Sie den Mangold hinzu, decken Sie ihn ab und kochen Sie ihn unter gelegentlichem Rühren etwa 10 Minuten lang, bis er weich ist. Vom Herd nehmen und den Tofu hinzufügen und gut vermischen. Mit Salz und Pfeffer abschmecken und beiseite stellen.

d) Mahlen Sie die Cashewnüsse in einem Mixer oder einer Küchenmaschine zu einem Pulver. Fügen Sie 11⁄2 Tassen Sojamilch, Muskatnuss, Cayennepfeffer und Salz nach Geschmack hinzu. Alles glatt rühren. Die restlichen 1 1⁄2 Tassen Sojamilch hinzufügen und cremig mixen. Abschmecken und bei Bedarf nachwürzen.

e) Eine Schicht Soße auf den Boden der vorbereiteten Auflaufform streichen. Füllen Sie etwa 1⁄3 Tasse Mangoldfüllung in die Manicotti. Die gefüllten Manicotti in einer Schicht in der Auflaufform anrichten. Die restliche Soße über die Manicotti geben. In einer kleinen Schüssel die Semmelbrösel und die restlichen 2 Esslöffel Öl vermischen und über die Manicotti streuen. Mit Folie abdecken und etwa 30 Minuten lang backen, bis es heiß und sprudelnd ist. Sofort servieren.

68. Spinat-Manicotti und Walnusssauce

Ergibt 4 Portionen

Zutaten:

- 12 Manicotti
- 1 Esslöffel Olivenöl
- 2 mittelgroße Schalotten, gehackt
- 2 (10-Unzen) Packungen gefrorener, gehackter Spinat, aufgetaut
- 1 Pfund extrafester Tofu, abgetropft und zerkrümelt
- 1/4 Teelöffel gemahlene Muskatnuss
- Salz und frisch gemahlener schwarzer Pfeffer
- 1 Tasse geröstete Walnussstücke
- 1 Tasse weicher Tofu, abgetropft und zerkrümelt
- 1/4 Tasse Nährhefe
- 2 Tassen einfache ungesüßte Sojamilch
- 1 Tasse trockene Semmelbrösel

Richtungen:

a) Heizen Sie den Ofen auf 350 °F vor. Eine 9 x 13 Zoll große Auflaufform leicht einölen. In einem Topf mit kochendem Salzwasser die Manicotti bei mittlerer bis hoher Hitze unter gelegentlichem Rühren etwa 10 Minuten al dente kochen. Gut abtropfen lassen und unter kaltem Wasser laufen lassen. Beiseite legen.

b) In einer großen Pfanne das Öl bei mittlerer Hitze erhitzen. Fügen Sie die Schalotten hinzu und kochen Sie sie etwa 5 Minuten lang, bis sie weich sind. Drücken Sie den Spinat aus, um so viel Flüssigkeit wie möglich zu entfernen, und geben Sie ihn zu den Schalotten. Mit Muskatnuss, Salz und Pfeffer abschmecken und 5 Minuten kochen lassen, dabei umrühren, um die Aromen zu vermischen. Den extrafesten Tofu dazugeben und gut verrühren. Beiseite legen.

c) Verarbeiten Sie die Walnüsse in einer Küchenmaschine, bis sie fein gemahlen sind. Den weichen Tofu, Nährhefe, Sojamilch sowie Salz und Pfeffer nach Geschmack hinzufügen. Zu einer glatten Masse verarbeiten.

d) Eine Schicht Walnusssoße auf dem Boden der vorbereiteten Auflaufform verteilen. Füllen Sie die Manicotti mit der Füllung. Die gefüllten Manicotti in einer Schicht in der Auflaufform anrichten. Die restliche Soße darüber geben. Mit Folie abdecken und etwa 30 Minuten heiß backen. Aufdecken, mit Semmelbröseln bestreuen und weitere 10 Minuten backen, um die Oberseite leicht zu bräunen. Sofort servieren.

69. Mit Auberginen und Tempeh gefüllte Nudeln

Ergibt 4 Portionen

Zutaten:

- 8 Unzen Tempeh
- 1 mittelgroße Aubergine
- 12 große Nudelschalen
- 1 Knoblauchzehe, zerdrückt
- 1/4 Teelöffel gemahlener Cayennepfeffer
- Salz und frisch gemahlener schwarzer Pfeffer
- Ungewürzte Semmelbrösel trocknen
- 3 Tassen Marinara-Sauce, hausgemacht

Richtungen:

a) In einem mittelgroßen Topf mit siedendem Wasser das Tempeh 30 Minuten kochen. Abgießen und zum Abkühlen beiseite stellen.

b) Heizen Sie den Ofen auf 450 °F vor. Stechen Sie die Aubergine mit einer Gabel ein und backen Sie sie auf einem leicht geölten Backblech etwa 45 Minuten lang, bis sie weich ist.

c) Während die Auberginen backen, kochen Sie die Nudelschalen in einem Topf mit kochendem Salzwasser unter gelegentlichem Rühren etwa 7 Minuten lang, bis sie al dente sind. Abgießen und unter kaltem Wasser laufen lassen. Beiseite legen.

d) Nehmen Sie die Aubergine aus dem Ofen, halbieren Sie sie der Länge nach und lassen Sie die Flüssigkeit abtropfen. Reduzieren Sie die Ofentemperatur auf 350 °F. Eine 9 x 13 Zoll große Backform leicht einölen. Verarbeiten Sie den Knoblauch in einer Küchenmaschine, bis er fein gemahlen ist. Geben Sie das Tempeh hinzu und zerkleinern Sie es, bis es grob gemahlen ist. Kratzen Sie das Auberginenmark von der Schale und geben Sie es zusammen mit Tempeh und Knoblauch in die Küchenmaschine. Den Cayennepfeffer dazugeben, mit Salz und Pfeffer abschmecken und vermischen. Wenn die Füllung locker ist, etwas Semmelbrösel hinzufügen.

e) Eine Schicht Tomatensoße auf den Boden der vorbereiteten Auflaufform streichen. Füllen Sie die Füllung in die Schalen, bis sie gut verpackt ist.

f) Legen Sie die Muscheln auf die Soße und gießen Sie die restliche Soße darüber und um die Muscheln herum. Mit Folie abdecken und etwa 30 Minuten heiß backen. Aufdecken, mit Parmesan bestreuen und weitere 10 Minuten backen. Sofort servieren.

70. Kürbisravioli mit Erbsen

Ergibt 4 Portionen

Zutaten:

- 1 Tasse Kürbispüree aus der Dose
- 1⁄2 Tasse extrafester Tofu, gut abgetropft und zerkrümelt
- 2 Esslöffel gehackte frische Petersilie
- Eine Prise gemahlene Muskatnuss
- Salz und frisch gemahlener schwarzer Pfeffer
- 1Eierfreier Nudelteig
- 2 oder 3 mittelgroße Schalotten, der Länge nach halbiert und in 1⁄4-Zoll-Scheiben geschnitten
- 1 Tasse gefrorene Babyerbsen, aufgetaut

Richtungen:

a) Tupfen Sie überschüssige Flüssigkeit mit einem Papiertuch vom Kürbis und vom Tofu ab und vermengen Sie sie dann in einer Küchenmaschine mit der Nährhefe, Petersilie, Muskatnuss sowie Salz und Pfeffer nach Geschmack. Beiseite legen.

b) Für die Ravioli den Nudelteig auf einer leicht bemehlten Fläche dünn ausrollen. Den Teig einschneiden

c) 2 Zoll breite Streifen. Geben Sie 1 gehäuften Teelöffel Füllung auf einen Nudelstreifen, etwa 2,5 cm von der Oberseite entfernt. Geben Sie einen weiteren Teelöffel Füllung auf den Nudelstreifen, etwa einen Zentimeter unter dem ersten Löffel Füllung. Den Vorgang über die gesamte Länge des Teigstreifens wiederholen. Befeuchten Sie die Teigränder leicht mit Wasser und legen Sie einen zweiten Nudelstreifen auf den ersten, so dass die Füllung bedeckt ist. Drücken Sie die beiden Teigschichten zwischen den Füllungsportionen zusammen.

d) Schneiden Sie die Seiten des Teigs mit einem Messer ab, um ihn gerade zu machen, und schneiden Sie dann den Teig zwischen den einzelnen Füllungshügeln durch, um quadratische Ravioli zu erhalten. Achten Sie darauf, die Lufteinschlüsse rund um die Füllung herauszudrücken, bevor Sie sie verschließen.

e) Drücken Sie mit den Zinken einer Gabel an den Teigrändern entlang, um die Ravioli zu verschließen. Die Ravioli auf einen bemehlten Teller geben und mit dem restlichen Teig und der Soße wiederholen. Beiseite legen.

f) In einer großen Pfanne das Öl bei mittlerer Hitze erhitzen. Fügen Sie die Schalotten hinzu und kochen Sie sie unter gelegentlichem Rühren etwa 15 Minuten lang, bis die Schalotten tief goldbraun, aber nicht verbrannt sind. Die Erbsen unterrühren und mit Salz und Pfeffer abschmecken. Bei sehr schwacher Hitze warm halten.

g) In einem großen Topf mit kochendem Salzwasser die Ravioli etwa 5 Minuten kochen, bis sie an der Oberfläche schwimmen. Gut abtropfen lassen und mit den Schalotten und Erbsen in die Pfanne geben. Ein bis zwei Minuten kochen lassen, um die Aromen zu vermischen, dann in eine große Servierschüssel umfüllen. Mit viel Pfeffer würzen und sofort servieren.

71. Artischocken-Walnuss-Ravioli

Ergibt 4 Portionen

Zutaten:

- 1⁄3 Tasse plus 2 Esslöffel Olivenöl
- 3 Knoblauchzehen, gehackt
- 1 (10-Unzen) Packung gefrorener Spinat, aufgetaut und trocken ausgedrückt
- 1 Tasse gefrorene Artischockenherzen, aufgetaut und gehackt
- 1⁄3 Tasse fester Tofu, abgetropft und zerkrümelt
- 1 Tasse geröstete Walnussstücke
- 1⁄4 Tasse dicht gepackte frische Petersilie
- Salz und frisch gemahlener schwarzer Pfeffer
- 1Eierfreier Nudelteig
- 12 frische Salbeiblätter

Richtungen:

a) In einer großen Pfanne 2 Esslöffel Öl bei mittlerer Hitze erhitzen. Knoblauch, Spinat und Artischockenherzen hinzufügen. Abdecken und kochen, bis der Knoblauch weich ist und die Flüssigkeit aufgesogen ist, etwa 3 Minuten, dabei gelegentlich umrühren. Geben Sie die Mischung in eine Küchenmaschine. Den Tofu, 1⁄4 Tasse Walnüsse, die Petersilie sowie Salz und Pfeffer nach Geschmack hinzufügen. Verarbeiten, bis es zerkleinert und gründlich vermischt ist.

b) Zum Abkühlen beiseite stellen.

c) Um die Ravioli zuzubereiten, rollen Sie den Teig auf einer leicht bemehlten Fläche sehr dünn (ca. 2 cm) aus und schneiden Sie ihn in 5 cm breite Streifen. Geben Sie 1 gehäuften Teelöffel Füllung auf einen Nudelstreifen, etwa 2,5 cm von der Oberseite entfernt. Geben Sie einen weiteren Teelöffel Füllung auf den

Nudelstreifen, etwa 2,5 cm unter dem ersten Löffel Füllung. Den Vorgang über die gesamte Länge des Teigstreifens wiederholen.
d) Befeuchten Sie die Teigränder leicht mit Wasser und legen Sie einen zweiten Nudelstreifen auf den ersten, so dass die Füllung bedeckt ist.
e) Drücken Sie die beiden Teigschichten zwischen den Füllungsportionen zusammen. Schneiden Sie die Seiten des Teigs mit einem Messer ab, um ihn gerade zu machen, und schneiden Sie dann den Teig zwischen den einzelnen Füllungshügeln durch, um quadratische Ravioli zu erhalten. Drücken Sie mit den Zinken einer Gabel an den Teigrändern entlang, um die Ravioli zu verschließen. Die Ravioli auf einen bemehlten Teller geben und mit dem restlichen Teig und der restlichen Füllung wiederholen.
f) Kochen Sie die Ravioli in einem großen Topf mit kochendem Salzwasser etwa 7 Minuten lang, bis sie an der Oberfläche schwimmen. Gut abtropfen lassen und beiseite stellen. In einer großen Pfanne das restliche 1⁄3 Tasse Öl bei mittlerer Hitze erhitzen. Fügen Sie den Salbei und die restlichen ¾ Tasse Walnüsse hinzu und kochen Sie, bis der Salbei knusprig wird und die Walnüsse duften.
g) Fügen Sie die gekochten Ravioli hinzu und kochen Sie sie unter leichtem Rühren, bis sie mit der Sauce bedeckt sind, und erhitzen Sie sie. Sofort servieren.

72. Tortellini mit Sahnesauce

Ergibt 4 Portionen

Zutaten:

- 1 Esslöffel Olivenöl
- 3 Knoblauchzehen, fein gehackt
- 1 Tasse fester Tofu, abgetropft und zerkrümelt
- ¾ Tasse gehackte frische Petersilie
- 1⁄4 Tasse veganer Parmesan oderParmasio
- Salz und frisch gemahlener schwarzer Pfeffer
- 1Eierfreier Nudelteig
- 21⁄2 Tassen Marinara-Sauce, hausgemacht
- Schale von 1 Orange
- 1⁄2 Teelöffel zerstoßener roter Pfeffer
- 1⁄2 Tasse Sojasahne oder ungesüßte Sojamilch

Richtungen:

a) In einer großen Pfanne das Öl bei mittlerer Hitze erhitzen. Fügen Sie den Knoblauch hinzu und kochen Sie ihn etwa 1 Minute lang, bis er weich ist. Tofu, Petersilie, Parmesan sowie Salz und schwarzen Pfeffer nach Geschmack hinzufügen. Mischen, bis alles gut vermischt ist. Zum Abkühlen beiseite stellen.

b) Um die Tortellini zuzubereiten, rollen Sie den Teig dünn aus (etwa 2,5 Zentimeter) und schneiden Sie ihn in 6,5 Zentimeter große Quadrate. Ort

c) 1 Teelöffel Füllung knapp neben der Mitte verteilen und eine Ecke des Nudelquadrats über die Füllung falten, sodass ein Dreieck entsteht. Drücken Sie die Kanten zusammen, um sie zu versiegeln. Wickeln Sie dann das Dreieck mit der Mitte nach unten um Ihren Zeigefinger und drücken Sie die Enden zusammen, damit sie festkleben. Falten Sie die Spitze des Dreiecks nach unten und schieben Sie es von Ihrem Finger ab. Auf einem leicht bemehlten Teller beiseite stellen und mit dem restlichen Teig und der Füllung fortfahren.

d) In einem großen Topf die Marinara-Sauce, die Orangenschale und den zerstoßenen roten Pfeffer vermischen. Erhitzen, bis es heiß ist, dann den Sojasahne einrühren und bei sehr schwacher Hitze warm halten.

e) In einem Topf mit kochendem Salzwasser die Tortellini etwa 5 Minuten kochen, bis sie an der Oberfläche schwimmen. Gut abtropfen lassen und in eine große Servierschüssel geben. Die Soße dazugeben und vorsichtig umrühren. Sofort servieren.

73. Gnocchi mit Rotwein-Tomatensauce

Ergibt 4 Portionen

Zutaten:

- 2 mittelgroße rostrote Kartoffeln
- 1 Esslöffel Olivenöl
- 3 Knoblauchzehen, gehackt
- (28 Unzen) Dose zerdrückte Tomaten
- 1⁄3 Tasse trockener Rotwein
- 11⁄2 Teelöffel getrocknetes Basilikum
- 1 Teelöffel getrockneter Oregano
- 2 Esslöffel gehackte frische Petersilie
- Salz
- Frisch gemahlener schwarzer Pfeffer
- 1 Tasse Allzweckmehl, bei Bedarf mehr
- Frischer Basilikum zum Garnieren (optional)

Richtungen:

a) Heizen Sie den Ofen auf 450 °F vor. Legen Sie die Kartoffeln in den Ofen und backen Sie sie etwa 1 Stunde lang, bis sie weich sind, wenn Sie sie mit einer Gabel einstechen.

b) In einem großen Topf das Öl bei mittlerer Hitze erhitzen. Fügen Sie den Knoblauch hinzu und kochen Sie ihn etwa 1 Minute lang, bis er duftet. Nicht verbrennen. Tomaten, Wein, Basilikum, Oregano, 1 Esslöffel Petersilie sowie Salz und Pfeffer nach Geschmack unterrühren. Die Hitze auf niedrige Stufe reduzieren und 20 Minuten köcheln lassen. Bei schwacher Hitze warm halten.

c) Für die Gnocchi Mehl und 1 Teelöffel Salz in einer großen Schüssel vermengen. Beiseite legen. Während die Ofenkartoffeln noch heiß sind, schneiden Sie sie vorsichtig in zwei Hälften, schaben Sie das Innere in eine separate große Schüssel und lassen Sie sie durch eine Kartoffelpresse oder eine Lebensmittelmühle laufen, damit sie locker werden. Legen Sie die Reiskartoffeln zusammen mit dem restlichen 1 Esslöffel Petersilie in die Mitte des Mehls. Mit Salz und Pfeffer abschmecken.

d) Das Mehl nach und nach unter die Kartoffeln mischen, bis ein Teig entsteht, bei Bedarf noch mehr Mehl dazugeben. Den Teig etwa 4 Minuten lang glattkneten. Überarbeiten Sie den Teig nicht. Den Teig in 4 Stücke teilen. Rollen Sie jeden Teigabschnitt auf einer leicht bemehlten Oberfläche mit Ihren Handflächen zu einer 1/2 Zoll dicken Rolle. Schneiden Sie jede Teigrolle in ¾-Zoll-Stücke.

e) In einem großen Topf mit kochendem Salzwasser die Gnocchi etwa 3 Minuten kochen, bis sie an der Oberfläche schwimmen. Nehmen Sie die gekochten Gnocchi mit einem Schaumlöffel heraus und geben Sie sie in ein Sieb, damit sie gut abtropfen können. In eine große Servierschüssel geben, die Tomatensauce dazugeben und vorsichtig umrühren. Bei Bedarf mit frischem Basilikum garnieren und sofort servieren.

74. Pierogi mit Röstzwiebeln

Ergibt 6 Portionen

Zutaten:

- 1 Pfund rotbraune Kartoffeln, geschält und in Stücke geschnitten
- 1 Teelöffel Salz
- 1/4 Teelöffel frisch gemahlener schwarzer Pfeffer
- 2 Esslöffel plus 1 Teelöffel Olivenöl
- 1 mittelgroße gelbe Zwiebel, gehackt
- 1Eierfreier Nudelteig

Richtungen:

a) In einem großen Topf mit Salzwasser die Kartoffeln etwa 20 Minuten kochen, bis sie weich sind. Abgießen und zurück in den Topf geben. Salz und Pfeffer hinzufügen, die Kartoffeln zerstampfen und beiseite stellen.

b) In einer Pfanne 2 Esslöffel Öl bei mittlerer Hitze erhitzen. Fügen Sie die Zwiebel hinzu, decken Sie sie ab und kochen Sie sie etwa 7 Minuten lang, bis sie weich ist. Die gekochte Zwiebel unter das Kartoffelpüree rühren. Gut vermischen und abschmecken, ggf. nachwürzen. Zum vollständigen Abkühlen beiseite stellen.

c) Teilen Sie den Teig in zwei gleiche Portionen und rollen Sie Stück für Stück auf einer leicht bemehlten Oberfläche aus, bis er sehr dünn ist, etwa 1⁄8 Zoll dick. Schneiden Sie den Teig in 3 Zoll breite Streifen und schneiden Sie ihn dann quer durch die Streifen, sodass 3 Zoll große Quadrate entstehen. Auf eine Hälfte jedes Teigquadrats 1 gehäuften Teelöffel Füllung geben.

d) Befeuchten Sie den Rand jedes Quadrats mit Wasser und falten Sie es zu Dreiecken. Falten Sie dabei eine Ecke des Teigs über die Füllung, um sie gegen die gegenüberliegende Ecke zu drücken. Drücken Sie mit dem Finger alle Kanten zusammen, um sie gut abzudichten. Mit dem restlichen Teig und der Füllung wiederholen. Wenn noch Füllung übrig ist, bewahren Sie diese für eine andere Verwendung auf. Drücken Sie mit den Zinken einer Gabel am Rand der Piroggen entlang, um sie zu verschließen. Auf einem leicht bemehlten Teller beiseite stellen.

e) In einem großen Topf mit kochendem Salzwasser die Pierogi etwa 3 Minuten kochen, bis sie an der Oberfläche schwimmen. Gut abtropfen lassen. Die Pierogi in einer großen Pfanne mit dem restlichen 1 Teelöffel Öl leicht anbraten. Mit Salz und reichlich Pfeffer würzen. Sofort servieren.

75. Hühnchen-Alfredo-Lasagne

Zutaten

- 4 Unzen dünn geschnittener Pancetta, in Streifen geschnitten
- 3 Unzen dünn geschnittener Prosciutto oder Feinkostschinken, in Streifen geschnitten
- 3 Tassen zerkleinertes Brathähnchen
- 5 Esslöffel ungesalzene Butter, gewürfelt
- 1/4 Tasse Allzweckmehl
- 4 Tassen Vollmilch
- 2 Tassen geriebener Asiago-Käse, geteilt
- 2 Esslöffel gehackte frische Petersilie, geteilt
- 1/4 Teelöffel grob gemahlener Pfeffer
- Eine Prise gemahlene Muskatnuss
- 9 Lasagne-Nudeln ohne Kochen
- 1-1/2 Tassen geriebener teilentrahmter Mozzarella-Käse
- 1-1/2 Tassen geriebener Parmesankäse

Richtungen

a) In einer großen Pfanne Pancetta und Prosciutto bei mittlerer Hitze braten, bis sie braun sind. Auf Papiertüchern abtropfen lassen. In eine große Schüssel geben; Hühnchen dazugeben und vermischen.

b) Für die Soße Butter in einem großen Topf bei mittlerer Hitze schmelzen. Mehl einrühren, bis eine glatte Masse entsteht; Nach und nach Milch einrühren. Unter ständigem Rühren zum Kochen bringen; kochen und 1-2 Minuten rühren, bis es eingedickt ist. Vom Herd nehmen; 1/2 Tasse Asiago-Käse, 1 Esslöffel Petersilie, Pfeffer und Muskatnuss unterrühren.

c) Backofen auf 375° vorheizen. Verteilen Sie 1/2 Tasse Soße in einer gefetteten 13 x 9 Zoll großen Schüssel. Backform. Mit jeweils einem Drittel der folgenden Zutaten belegen: Nudeln, Soße, Fleischmischung, Asiago, Mozzarella und Parmesan. Wiederholen Sie die Schichten zweimal.

d) Zugedeckt 30 Minuten backen. Aufdecken; 15 Minuten länger backen oder bis es sprudelt. Mit restlicher Petersilie bestreuen. Vor dem Servieren 10 Minuten stehen lassen.

76. Dekadente, mit Spinat gefüllte Muscheln

Zutaten

- 1 Packung (12 Unzen) Jumbo-Nudelschalen
- 1 Glas (24 Unzen) geröstete Nudelsauce aus rotem Pfeffer und Knoblauch, aufgeteilt
- 2 Packungen (je 8 Unzen) Frischkäse, weich
- 1 Tasse geröstete Knoblauch-Alfredo-Sauce
- Prise Salz
- Prise Pfeffer
- Optional eine Prise zerkleinerte rote Paprikaflocken
- 2 Tassen geriebene italienische Käsemischung
- 1/2 Tasse geriebener Parmesankäse
- 1 Packung (10 Unzen) gefrorener gehackter Spinat, aufgetaut und trocken ausgedrückt
- 1/2 Tasse fein gehackte, mit Wasser gefüllte Artischockenherzen
- 1/4 Tasse fein gehackte geröstete süße rote Paprika
- Zusätzlicher Parmesankäse, optional

Richtungen

a) Backofen auf 350° vorheizen. Nudelschalen nach Packungsanweisung al dente kochen. Abfluss.

b) Verteilen Sie 1 Tasse Soße in einer gefetteten 13 x 9 Zoll großen Schüssel. Backform. In einer großen Schüssel Frischkäse, Alfredo-Sauce und Gewürze verrühren, bis eine Mischung entsteht. Käse und Gemüse unterrühren. In Schalen löffeln. In der vorbereiteten Auflaufform anrichten.

c) Restliche Soße darübergießen. Zugedeckt 20 Minuten backen. Nach Belieben mit zusätzlichem Parmesankäse bestreuen. Ohne Deckel 10–15 Minuten länger backen oder bis der Käse geschmolzen ist.

77. Penne-Rindfleisch-Auflauf

Zutat

- 1 Packung (12 Unzen) Vollkorn-Penne-Nudeln
- 1 Pfund mageres Rinderhackfleisch (90 % mager)
- 2 mittelgroße Zucchini, fein gehackt
- 1 große grüne Paprika, fein gehackt
- 1 kleine Zwiebel, fein gehackt
- 1 Glas (24 Unzen) Spaghettisauce
- 1 1/2 Tassen fettarme Alfredo-Sauce
- 1 Tasse geriebener teilentrahmter Mozzarella-Käse, geteilt
- 1/4 Teelöffel Knoblauchpulver
- Gehackte frische Petersilie, optional

Richtungen

a) Penne nach Packungsanweisung kochen. In der Zwischenzeit in einem Schmortopf das Rindfleisch, die Zucchini, die Paprika und die Zwiebeln bei mittlerer Hitze garen, bis das Fleisch nicht mehr rosa ist, und es dann in Streusel zerkleinern. Abfluss. Spaghettisauce, Alfredo-Sauce, 1/2 Tasse Mozzarella-Käse und Knoblauchpulver unterrühren. Penne abtropfen lassen; In die Fleischmischung einrühren.

b) Übertragen Sie es auf ein 13x9-Zoll-Gerät. Mit Kochspray bestrichene Auflaufform. Abdecken und 20 Minuten bei 375° backen. Mit restlichem Mozzarella-Käse bestreuen. Ohne Deckel 3–5 Minuten länger backen oder bis der Käse geschmolzen ist. Nach Belieben mit Petersilie belegen.

78. HUHN Tetrazzini

Zutat

- 8 Unzen ungekochte Spaghetti
- 2 Teelöffel plus 3 Esslöffel Butter, geteilt
- 8 Speckstreifen, gehackt
- 2 Tassen geschnittene frische Pilze
- 1 kleine Zwiebel, gehackt
- 1 kleine grüne Paprika, gehackt
- 1/3 Tasse Allzweckmehl
- 1/4 Teelöffel Salz
- 1/4 Teelöffel Pfeffer
- 3 Tassen Hühnerbrühe
- 3 Tassen grob zerkleinertes Brathähnchen
- 2 Tassen gefrorene Erbsen (ca. 8 Unzen)
- 1 Glas (4 Unzen) gewürfelte Pimientos, abgetropft
- 1/2 Tasse geriebener Romano- oder Parmesankäse

Richtungen

a) Backofen auf 375° vorheizen. Spaghetti nach Packungsanweisung al dente kochen. Abfluss; Übertragen Sie es auf ein gefettetes 13x9-Zoll. Backform. 2 Teelöffel Butter hinzufügen und vermengen.

b) In der Zwischenzeit den Speck in einer großen Pfanne bei mittlerer Hitze knusprig braten, dabei gelegentlich umrühren. Mit einem Schaumlöffel herausnehmen; Auf Papiertüchern abtropfen lassen. Reste wegwerfen und 1 Esslöffel in der Pfanne aufbewahren. Pilze, Zwiebeln und grünen Pfeffer zum Bratenfett hinzufügen; kochen und bei mittlerer bis hoher Hitze 5-7 Minuten lang rühren, bis es weich ist. Aus der Pfanne nehmen.

c) In derselben Pfanne die restliche Butter bei mittlerer Hitze erhitzen. Mehl, Salz und Pfeffer einrühren, bis eine glatte Masse entsteht. Nach und nach Brühe einrühren. Unter gelegentlichem Rühren zum Kochen bringen; kochen und 3-5 Minuten rühren, bis es leicht eingedickt ist. Hühnchen, Erbsen, Pimientos und Pilzmischung hinzufügen; erhitzen und gelegentlich umrühren. Über die Spaghetti geben. Mit Speck und Käse bestreuen.

d) Ohne Deckel 25–30 Minuten backen oder bis sie goldbraun sind. Vor dem Servieren 10 Minuten stehen lassen.

79. Nudelauflauf mit Butternuss und Mangold

Zutat

- 3 Tassen ungekochte Fliegenudeln
- 2 Tassen fettfreier Ricotta-Käse
- 4 große Eier
- 3 Tassen gefrorener, gewürfelter Butternusskürbis, aufgetaut und geteilt
- 1 Teelöffel getrockneter Thymian
- 1/2 Teelöffel Salz, geteilt
- 1/4 Teelöffel gemahlene Muskatnuss
- 1 Tasse grob gehackte Schalotten
- 1 1/2 Tassen gehackter Mangold, Stiele entfernt
- 2 Esslöffel Olivenöl
- 1-1/2 Tassen Panko-Semmelbrösel
- 1/3 Tasse grob gehackte frische Petersilie
- 1/4 Teelöffel Knoblauchpulver

Richtungen

a) Backofen auf 375° vorheizen. Nudeln nach Packungsanweisung al dente kochen; Abfluss. In der Zwischenzeit Ricotta, Eier, 1 1/2 Tassen Kürbis, Thymian, 1/4 Teelöffel Salz und Muskatnuss in eine Küchenmaschine geben; glatt rühren. In eine große Schüssel füllen. Nudeln, Schalotten, Mangold und restlichen Kürbis unterrühren. Übertragen Sie es auf eine gefettete 13x9-Zoll-Platte. Backform.

b) In einer großen Pfanne Öl bei mittlerer bis hoher Hitze erhitzen. Semmelbrösel hinzufügen; kochen und rühren, bis es goldbraun ist, 2-3 Minuten. Petersilie, Knoblauchpulver und den restlichen 1/4 Teelöffel Salz unterrühren. Über die Nudelmischung streuen.

c) Ohne Deckel 30–35 Minuten backen, bis der Teig fest ist und der Belag goldbraun ist.

80. Chili-Mac-Auflauf

Zutat

- 1 Tasse ungekochte Makkaroni
- 2 Pfund mageres Rinderhackfleisch (90 % mager)
- 1 mittelgroße Zwiebel, gehackt
- 2 Knoblauchzehen, gehackt
- 1 Dose (28 Unzen) gewürfelte Tomaten, nicht abgetropft
- 1 Dose (16 Unzen) Kidneybohnen, abgespült und abgetropft
- 1 Dose (6 Unzen) Tomatenmark
- 1 Dose (4 Unzen) gehackte grüne Chilis
- 1-1/4 Teelöffel Salz
- 1 Teelöffel Chilipulver
- 1/2 Teelöffel gemahlener Kreuzkümmel
- 1/2 Teelöffel Pfeffer
- 2 Tassen geriebene, fettarme mexikanische Käsemischung
- Optional in dünne Scheiben geschnittene Frühlingszwiebeln

Richtungen

a) Makkaroni nach Packungsanleitung kochen. In der Zwischenzeit in einer großen beschichteten Pfanne das Rindfleisch, die Zwiebeln und den Knoblauch bei mittlerer Hitze anbraten, bis das Fleisch nicht mehr rosa ist und das Fleisch in Stücke zerfällt. Abfluss. Tomaten, Bohnen, Tomatenmark, Chilis und Gewürze unterrühren. Makkaroni abtropfen lassen; zur Rindfleischmischung hinzufügen.

b) Übertragen Sie es auf ein 13x9-Zoll-Gerät. Mit Kochspray bestrichene Auflaufform. Abdecken und bei 375 °C 25–30 Minuten lang sprudelnd backen. Aufdecken; mit Käse bestreuen. 5–8 Minuten länger backen, bis der Käse geschmolzen ist. Nach Belieben mit geschnittenen Frühlingszwiebeln belegen.

81. Penne und geräucherte Wurst

Zutat

- 2 Tassen ungekochte Penne-Nudeln
- 1 Pfund geräucherte Wurst, in 1/4-Zoll-Scheiben geschnitten
- 1-1/2 Tassen 2 % Milch
- 1 Dose (10-3/4 Unzen) kondensierte Selleriecremesuppe, unverdünnt
- 1-1/2 Tassen gebratene Cheddar-Zwiebeln, geteilt
- 1 Tasse geriebener teilentrahmter Mozzarella-Käse, geteilt
- 1 Tasse gefrorene Erbsen

Richtungen

a) Backofen auf 375° vorheizen. Nudeln nach Packungsanweisung kochen.

b) In der Zwischenzeit in einer großen Pfanne die Wurst bei mittlerer Hitze 5 Minuten anbraten; Abfluss. In einer großen Schüssel Milch und Suppe vermischen. 1/2 Tasse Zwiebeln, 1/2 Tasse Käse, Erbsen und Wurst unterrühren. Nudeln abgießen; In die Wurstmasse einrühren.

c) Übertragen Sie es auf eine gefettete 13x9-Zoll-Platte. Backform. Abdecken und 25–30 Minuten backen, bis sich Blasen bilden. Mit restlichen Zwiebeln und Käse bestreuen. Ohne Deckel noch 3–5 Minuten backen, bis der Käse geschmolzen ist.

d) Option zum Einfrieren: Restliche Zwiebeln und Käse über den ungebackenen Auflauf streuen. Abdecken und einfrieren. Zur Verwendung über Nacht im Kühlschrank teilweise auftauen. 30 Minuten vor dem Backen aus dem Kühlschrank nehmen. Backofen auf 375° vorheizen. Backen Sie den Auflauf wie angegeben und verlängern Sie dabei die Zeit, bis er durchgeheizt ist und ein in der Mitte eingesetztes Thermometer 165 °C anzeigt.

82. Provolone Ziti Backen

Zutat

- 1 Esslöffel Olivenöl
- 1 mittelgroße Zwiebel, gehackt
- 3 Knoblauchzehen, gehackt
- 2 Dosen (je 28 Unzen) zerkleinerte italienische Tomaten
- 1-1/2 Tassen Wasser
- 1/2 Tasse trockener Rotwein oder natriumarme Hühnerbrühe
- 1 Esslöffel Zucker
- 1 Teelöffel getrocknetes Basilikum
- 1 Packung (16 Unzen) Ziti-Nudeln oder kleine Tubennudeln
- 8 Scheiben Provolone-Käse

Richtungen

a) Backofen auf 350° vorheizen. In einem 6-qt. Suppentopf, Öl bei mittlerer bis hoher Hitze erhitzen. Zwiebel hinzufügen; kochen und 2-3 Minuten rühren, bis es weich ist. Knoblauch hinzufügen; 1 Minute länger kochen. Tomaten, Wasser, Wein, Zucker und Basilikum unterrühren. Zum Kochen bringen; Vom Herd nehmen. Ungekochtes Ziti unterrühren.

b) Übertragen Sie es auf ein 13x9-Zoll-Gerät. Mit Kochspray bestrichene Auflaufform. Zugedeckt 1 Stunde backen. Mit Käse belegen. Unbedeckt 5–10 Minuten länger backen oder bis die Ziti weich und der Käse geschmolzen ist.

83. Engelshaar-Garnelen-Auflauf

Zutat

- 1 Packung (9 Unzen) gekühlte Engelshaarnudeln
- 1 1/2 Pfund ungekochte mittelgroße Garnelen, geschält und entdarmt
- 3/4 Tasse zerbröselter Feta-Käse
- 1/2 Tasse geriebener Schweizer Käse
- 1 Glas (16 Unzen) stückige Salsa
- 1/2 Tasse geriebener Monterey-Jack-Käse
- 3/4 Tasse gehackte frische Petersilie
- 1 Teelöffel getrocknetes Basilikum
- 1 Teelöffel getrockneter Oregano
- 2 große Eier
- 1 Tasse halbe Sahne
- 1 Tasse Naturjoghurt
- Gehackte frische Petersilie, optional

Richtungen

a) In einem gefetteten 13x9-Zoll-Format. In die Auflaufform die Hälfte der Nudeln, Garnelen, Feta-Käse, Schweizer Käse und Salsa schichten. Wiederholen Sie die Schichten. Mit Monterey-Jack-Käse, Petersilie, Basilikum und Oregano bestreuen.

b) In einer kleinen Schüssel Eier, Sahne und Joghurt verquirlen; über den Auflauf gießen. Ohne Deckel bei 350° backen, bis ein Thermometer 160° anzeigt, 25–30 Minuten. Vor dem Servieren 5 Minuten ruhen lassen. Nach Belieben mit gehackter Petersilie belegen.

84. Curry-Lasagne

Zutat

- 1 Esslöffel Rapsöl
- 1 mittelgroße Zwiebel, gehackt
- 4 Teelöffel Currypulver
- 3 Knoblauchzehen, gehackt
- 1 Dose (6 Unzen) Tomatenmark
- 2 Dosen (je 13,66 Unzen) Kokosmilch
- 1 Pfund (ca. 4 Tassen) zerkleinertes Brathähnchen, Haut entfernt
- 12 Lasagne-Nudeln, ungekocht
- 2 Tassen teilentrahmter Ricotta-Käse
- 2 große Eier
- 1/2 Tasse gehackter frischer Koriander, geteilt
- 1 Packung (10 Unzen) gefrorener gehackter Spinat, aufgetaut und trocken ausgedrückt
- 1/2 Teelöffel Salz
- 1/4 Teelöffel Pfeffer
- 2 Tassen geriebener teilentrahmter Mozzarella-Käse
- Limettenspalten

Richtungen

a) Backofen auf 350° vorheizen. In einer großen Pfanne Öl be mittlerer bis hoher Hitze erhitzen. Zwiebel hinzufügen; kocher und rühren, bis es weich ist, etwa 5 Minuten. Currypulver und Knoblauch hinzufügen; noch 1 Minute kochen lassen Tomatenmark einrühren; Kokosmilch in die Pfanne gießen. Zum Kochen bringen. Hitze reduzieren und 5 Minuten köcheln lassen Gekochtes Hähnchen unterrühren.

b) In der Zwischenzeit Lasagne-Nudeln nach Packungsanweisung kochen. Abfluss. Ricotta, Eier, 1/4 Tasse Koriander, Spinat und Gewürze vermischen.

c) Verteilen Sie ein Viertel der Hühnermischung in einem 13 x 9 Zoll großen Backblech. Mit Kochspray bestrichene Auflaufform Mit 4 Nudeln, der Hälfte der Ricotta-Mischung, einem Viertel de Hühnermischung und 1/2 Tasse Mozzarella belegen Wiederholen Sie die Schichten. Mit den restlichen Nudeln, der restlichen Hühnermischung und dem restlichen Mozzarella belegen.

d) Ohne Deckel 40–45 Minuten backen, bis sich Blasen bilden Vor dem Schneiden 10 Minuten abkühlen lassen. Mit restlichem Koriander belegen; Mit Limettenspalten servieren.

85. Lasagne mit beladenen Nudelschalen

Zutat

- 4 Tassen geriebener Mozzarella-Käse
- 1 Karton (15 Unzen) Ricotta-Käse
- 1 Packung (10 Unzen) gefrorener gehackter Spinat, aufgetaut und trocken ausgedrückt
- 1 Packung (12 Unzen) Jumbo-Nudelschalen, gekocht und abgetropft
- 3 1/2 Tassen Spaghettisauce
- Geriebener Parmesankäse, optional

Richtungen

a) Backofen auf 350° vorheizen. Käse und Spinat mischen; in Muscheln füllen. In einem gefetteten 13x9-Zoll-Format anrichten. Backform. Spaghettisauce über die Schalen gießen. Abdecken und ca. 30 Minuten backen, bis es durchgeheizt ist.

b) Nach Belieben nach dem Backen mit Parmesankäse bestreuen.

86. Fleischbällchen-Mostaccioli mit drei Käsesorten

Zutat

- 1 Packung (16 Unzen) Mostaccioli
- 2 große Eier, leicht geschlagen
- 1 Karton (15 Unzen) teilentrahmter Ricotta-Käse
- 1 Pfund Rinderhackfleisch
- 1 mittelgroße Zwiebel, gehackt
- 1 Esslöffel brauner Zucker
- 1 Esslöffel italienisches Gewürz
- 1 Teelöffel Knoblauchpulver
- 1/4 Teelöffel Pfeffer
- 2 Gläser (je 24 Unzen) Nudelsauce mit Fleisch
- 1/2 Tasse geriebener Romano-Käse
- 1 Packung (12 Unzen) gefrorene, vollständig gekochte italienische Fleischbällchen, aufgetaut
- 3/4 Tasse gehobelter Parmesankäse
- Gehackte frische Petersilie oder frischer Baby-Rucola, optional

Richtungen

a) Backofen auf 350° vorheizen. Mostaccioli nach Packungsanweisung al dente kochen; Abfluss. Währenddessen in einer kleinen Schüssel Eier und Ricotta-Käse vermischen.

b) In einem 6-qt. Suppentopf, Rindfleisch und Zwiebeln 6-8 Minuten kochen oder bis das Rindfleisch nicht mehr rosa ist, dabei das Rindfleisch in Streusel zerkleinern; Abfluss. Braunen Zucker und Gewürze einrühren. Nudelsauce und Mostaccioli hinzufügen; Zum Kombinieren werfen.

c) Übertragen Sie die Hälfte der Nudelmischung in eine gefettete 13 x 9 Zoll große Schüssel. Backform. Mit der Ricotta-Mischung und der restlichen Nudelmischung belegen; Mit Romano-Käse bestreuen. Mit Fleischbällchen und Parmesan belegen.

d) Ohne Deckel 35–40 Minuten backen oder bis es durchgeheizt ist. Nach Belieben mit Petersilie belegen.

87. Weiße Meeresfrüchte-Lasagne

Zutaten

- 9 ungekochte Lasagne-Nudeln
- 1 Esslöffel Butter
- 1 Pfund ungekochte Garnelen (31 bis 40 pro Pfund), geschält und entdarmt
- 1 Pfund Jakobsmuscheln
- 5 Knoblauchzehen, gehackt
- 1/4 Tasse Weißwein
- 1 Esslöffel Zitronensaft
- 1 Pfund frisches Krabbenfleisch

Käsesoße:

- 1/4 Tasse Butter, gewürfelt
- 1/4 Tasse Allzweckmehl
- 3 Tassen 2 % Milch
- 1 Tasse geriebener teilentrahmter Mozzarella-Käse
- 1/2 Tasse geriebener Parmesankäse
- 1/2 Teelöffel Salz
- 1/4 Teelöffel Pfeffer
- Prise gemahlene Muskatnuss

Ricotta-Mischung:

- 1 Karton (15 Unzen) teilentrahmter Ricotta-Käse
- 1 Packung (10 Unzen) gefrorener gehackter Spinat, aufgetaut und trocken ausgedrückt
- 1 Tasse geriebener teilentrahmter Mozzarella-Käse
- 1/2 Tasse geriebener Parmesankäse
- 1/2 Tasse gewürzte Semmelbrösel
- 1 großes Ei, leicht geschlagen

Belag:

- 1 Tasse geriebener teilentrahmter Mozzarella-Käse
- 1/4 Tasse geriebener Parmesankäse
- Gehackte frische Petersilie

Richtungen

a) Backofen auf 350° vorheizen. Lasagne-Nudeln nach Packungsanweisung kochen; Abfluss.

b) In der Zwischenzeit in einer großen Pfanne Butter bei mittlerer Hitze erhitzen. Garnelen und Jakobsmuscheln portionsweise hinzufügen; 2-4 Minuten kochen lassen oder bis die Garnelen rosa werden und die Jakobsmuscheln fest und undurchsichtig sind. Aus der Pfanne nehmen.

c) Knoblauch in dieselbe Pfanne geben; 1 Minute kochen. Wein und Zitronensaft hinzufügen und umrühren, um die gebräunten Stücke aus der Pfanne zu lösen. Zum Kochen bringen; 1-2 Minuten kochen lassen oder bis die Flüssigkeit auf die Hälfte reduziert ist. Krabben hinzufügen; Wärme durch. Garnelen und Jakobsmuscheln unterrühren.

d) Für die Käsesauce Butter bei mittlerer Hitze in einem großen Topf schmelzen. Mehl einrühren, bis eine glatte Masse entsteht; Nach und nach Milch unterrühren. Unter ständigem Rühren zum Kochen bringen; kochen und rühren, bis es eingedickt ist, 1-2 Minuten. Vom Herd nehmen; Restliche Zutaten für die Käsesoße unterrühren. In einer großen Schüssel die Zutaten der Ricotta-Mischung vermischen. 1 Tasse Käsesauce einrühren.

e) Verteilen Sie eine halbe Tasse Käsesoße in einer gefetteten 33 x 23 cm großen Schüssel. Backform. Mit 3 Nudeln, der Hälfte der Ricotta-Mischung, der Hälfte der Meeresfrüchte-Mischung und 2/3 Tasse Käsesauce belegen. Wiederholen Sie die Schichten. Mit den restlichen Nudeln und der Käsesoße belegen. Mit 1 Tasse Mozzarella-Käse und 1/4 Tasse Parmesankäse bestreuen.

f) Ohne Deckel 40–50 Minuten backen oder bis sich Blasen bilden und die Oberfläche goldbraun ist. Vor dem Servieren 10 Minuten stehen lassen. Mit Petersilie bestreuen.

88. Pizza Pasta Casserole

Zutat

- 2 Pfund Hackfleisch
- 1 große Zwiebel, gehackt
- 3 1/2 Tassen Spaghettisauce
- 1 Packung (16 Unzen) Spiral- oder Cavatappi-Nudeln, gekocht und abgetropft
- 4 Tassen geriebener teilentrahmter Mozzarella-Käse
- 8 Unzen geschnittene Peperoni

Richtungen

a) Backofen auf 350° vorheizen. In einer großen Pfanne Rindfleisch und Zwiebeln bei mittlerer Hitze anbraten, bis das Fleisch nicht mehr rosa ist; Abfluss. Spaghettisauce und Nudeln unterrühren.

b) Übertragen Sie es auf zwei gefettete 13 x 9 Zoll große. Backformen. Mit Käse bestreuen. Peperoni darüber verteilen.

c) Ohne Deckel 25–30 Minuten backen oder bis es durchgeheizt ist.

d) Einfrieroption: Ungebackene Aufläufe abkühlen lassen; Abdecken und bis zu 3 Monate einfrieren. Zur Verwendung über Nacht im Kühlschrank teilweise auftauen. 30 Minuten vor dem Backen aus dem Kühlschrank nehmen. Backofen auf 350° vorheizen. Backen Sie wie angegeben und erhöhen Sie die Zeit auf 35–40 Minuten oder bis es durchgeheizt ist und ein in der Mitte eingesetztes Thermometer 165° anzeigt.

89. Käse-Manicotti

Zutat

- 1 Karton (15 Unzen) fettarmer Ricotta-Käse
- 1 kleine Zwiebel, fein gehackt
- 1 großes Ei, leicht geschlagen
- 2 Esslöffel gehackte frische Petersilie
- 1/2 Teelöffel Pfeffer
- 1/4 Teelöffel Salz
- 1 Tasse geriebener teilentrahmter Mozzarella-Käse, geteilt
- 1 Tasse geriebener Parmesankäse, geteilt
- 4 Tassen Marinara-Sauce
- 1/2 Tasse Wasser
- 1 Packung (8 Unzen) Manicotti-Schalen
- Zusätzliche Petersilie, optional

Richtungen

a) Backofen auf 350° vorheizen. Mischen Sie in einer kleinen Schüssel die ersten 6 Zutaten; 1/2 Tasse Mozzarella-Käse und 1/2 Tasse Parmesankäse unterrühren. In einer anderen Schüssel Marinara-Sauce und Wasser vermischen; Verteilen Sie 3/4 Tasse Soße auf dem Boden eines 13 x 9 Zoll großen Backblechs. Mit Kochspray bestrichene Auflaufform. Ungekochte Manicotti-Schalen mit Ricotta-Mischung füllen; Über der Soße anrichten. Mit der restlichen Soße belegen.

b) Zugedeckt 50 Minuten backen oder bis die Nudeln weich sind. Mit der restlichen halben Tasse Mozzarella-Käse und der restlichen halben Tasse Parmesankäse bestreuen. Ohne Deckel 10–15 Minuten länger backen oder bis der Käse geschmolzen ist. Nach Belieben mit zusätzlicher Petersilie belegen.

90. Vier-Käse-Lasagne

Zutat

- 1 Pfund Rinderhackfleisch
- 1 mittelgroße Zwiebel, gehackt
- 2 Knoblauchzehen, gehackt
- 1 Dose (28 Unzen) Tomaten, nicht abgetropft
- 1 Dose (8 Unzen) geschnittene Pilze, abgetropft
- 1 Dose (6 Unzen) Tomatenmark
- 1 Teelöffel Salz
- 1 Teelöffel getrockneter Oregano
- 1 Teelöffel getrocknetes Basilikum
- 1/2 Teelöffel Pfeffer
- 1/2 Teelöffel Fenchelsamen
- 2 Tassen 4 % Hüttenkäse
- 2/3 Tasse geriebener Parmesankäse
- 1/4 Tasse geriebener milder Cheddar-Käse
- 1-1/2 Tassen geriebener teilentrahmter Mozzarella-Käse, geteilt
- 2 große Eier
- 1 Pfund Lasagne-Nudeln, gekocht und abgetropft

Richtungen

a) In einer Pfanne Rindfleisch, Zwiebeln und Knoblauch bei mittlerer Hitze anbraten, bis das Fleisch nicht mehr rosa und die Zwiebeln zart sind. Abfluss. In einem Mixer die Tomaten glatt rühren. Zusammen mit Pilzen, Tomatenmark und Gewürzen unter die Rindfleischmischung rühren; 15 Minuten köcheln lassen.

b) In einer Schüssel Hüttenkäse, Parmesan, Cheddar, 1/2 Tasse Mozzarella und Eier vermischen. Verteilen Sie 2 Tassen Fleischsauce auf dem Boden eines ungefetteten 13 x 9 Zoll großen Backblechs. Backform. Die Hälfte der Nudeln über der Soße anrichten. Die Käsemischung über die Nudeln verteilen. Mit den restlichen Nudeln und Soße belegen.

c) Abdecken und 45 Minuten bei 350° backen. Aufdecken; Mit restlichem Mozzarella bestreuen. Zurück in den Ofen für 15 Minuten oder bis der Käse geschmolzen ist.

91. Büffel-Hühnchen-Lasagne

12 Portionen

Zutat

- 1 Esslöffel Rapsöl
- 1 1/2 Pfund gehacktes Hühnchen
- 1 kleine Zwiebel, gehackt
- 1 Sellerierippe, fein gehackt
- 1 große Karotte, gerieben
- 2 Knoblauchzehen, gehackt
- 1 Dose (14-1/2 Unzen) gewürfelte Tomaten, abgetropft
- 1 Flasche (12 Unzen) Büffel Wing Sauce
- 1/2 Tasse Wasser
- 1-1/2 Teelöffel italienisches Gewürz
- 1/2 Teelöffel Salz
- 1/4 Teelöffel Pfeffer
- 9 Lasagne-Nudeln
- 1 Karton (15 Unzen) Ricotta-Käse
- 1-3/4 Tassen zerbröselter Blauschimmelkäse, geteilt
- 1/2 Tasse gehackte italienische glatte Petersilie
- 1 großes Ei, leicht geschlagen
- 3 Tassen geriebener teilentrahmter Mozzarella-Käse
- 2 Tassen geriebener weißer Cheddar-Käse

Richtungen

a) In einem holländischen Ofen Öl bei mittlerer Hitze erhitzen. Hühnchen, Zwiebeln, Sellerie und Karotten hinzufügen; kochen und rühren, bis das Fleisch nicht mehr rosa und das Gemüse zart ist. Knoblauch hinzufügen; 2 Minuten länger kochen. Tomaten, Flügelsauce, Wasser, italienische Gewürze, Salz und Pfeffer einrühren; zum Kochen bringen. Hitze reduzieren; abdecken und 1 Stunde köcheln lassen.

b) In der Zwischenzeit Nudeln nach Packungsanweisung kochen; Abfluss. In einer kleinen Schüssel Ricotta, 3/4 Tasse Blauschimmelkäse, Petersilie und Ei vermischen. Backofen auf 350° vorheizen.

c) Verteilen Sie 1 1/2 Tassen Soße in einer gefetteten 13 x 9 Zoll großen Schüssel. Backform. Mit drei Nudeln, 1 1/2 Tassen Soße, 2/3 Tasse Ricotta-Mischung, 1 Tasse Mozzarella-Käse, 2/3 Tasse Cheddar-Käse und 1/3 Tasse Blauschimmelkäse belegen. Wiederholen Sie die Schichten zweimal.

d) Zugedeckt 20 Minuten backen. Aufdecken; 20–25 Minuten backen, bis Blasen entstehen und der Käse geschmolzen ist. Vor dem Servieren 10 Minuten stehen lassen.

92. Cremige Hühnchen-Lasagne-Roll-Ups

Zutat

- 10 Lasagne-Nudeln
- 3/4 Pfund Hähnchenbrust ohne Knochen und ohne Haut gewürfelt
- 1-1/2 Teelöffel Kräuter der Provence
- 1/2 Teelöffel Salz, geteilt
- 1/2 Teelöffel Pfeffer, geteilt
- 1 Esslöffel Olivenöl
- 2 Tassen Ricotta-Käse
- 1/2 Tasse geriebener Parmesankäse, geteilt
- 1/4 Tasse 2 % Milch
- 2 Esslöffel gehackte frische Petersilie
- 4 Tassen Spaghettisauce
- 8 Unzen frischer Mozzarella-Käse, in dünne Scheiben geschnitten
- Optional zusätzlich gehackte frische Petersilie

Richtungen

a) Backofen auf 375° vorheizen. Lasagne-Nudeln nach Packungsanweisung kochen.

b) In der Zwischenzeit das Hähnchen mit Kräutern der Provence 1/4 Teelöffel Salz und 1/4 Teelöffel Pfeffer bestreuen. In einer großen Pfanne das Hähnchen in Öl bei mittlerer Hitze 5–7 Minuten lang anbraten, bis es nicht mehr rosa ist. beiseite legen.

c) In einer großen Schüssel Ricotta, 1/4 Tasse Parmesan, Milch Petersilie und das restliche Salz und Pfeffer vermischen. Hühnchen hinzufügen.

d) Nudeln abgießen. Verteilen Sie 1 Tasse Spaghettisauce in einer gefetteten 13 x 9 Zoll großen Schüssel. Backform. Verteilen Sie 1/3 Tasse Hühnermischung auf jeder Nudel; vorsichtig aufrollen. Mit der Nahtseite nach unten über die Soße legen. Mit restlicher Soße und Parmesankäse belegen.

e) Abdecken und 30 Minuten backen. Aufdecken; Mit Mozzarella-Käse belegen. 15–20 Minuten länger backen oder bis Blasen entstehen und der Käse geschmolzen ist. Bei Bedarf mit zusätzlicher Petersilie belegen.

93. Hühnchen-Marsala-Lasagne

Zutaten

- 12 Lasagne-Nudeln
- 4 Teelöffel italienisches Gewürz, geteilt
- 1 Teelöffel Salz
- 3/4 Pfund Hähnchenbrust ohne Knochen und ohne Haut, gewürfelt
- 1 Esslöffel Olivenöl
- 1/4 Tasse fein gehackte Zwiebel
- 1/2 Tasse Butter, gewürfelt
- 1/2 Pfund geschnittene Baby-Portobello-Pilze
- 12 Knoblauchzehen, gehackt
- 1-1/2 Tassen Rinderbrühe
- 3/4 Tasse Marsala-Wein, geteilt
- 1/4 Teelöffel grob gemahlener Pfeffer
- 3 Esslöffel Maisstärke
- 1/2 Tasse fein gehackter, vollständig gekochter Schinken
- 1 Karton (15 Unzen) Ricotta-Käse
- 1 Packung (10 Unzen) gefrorener gehackter Spinat, aufgetaut und trocken ausgedrückt
- 2 Tassen geriebene italienische Käsemischung
- 1 Tasse geriebener Parmesankäse, geteilt
- 2 große Eier, leicht geschlagen

Richtungen

a) Nudeln nach Packungsanweisung kochen; Abfluss. In der Zwischenzeit 2 Teelöffel italienisches Gewürz und Salz vermischen; über die Hähnchenbrust streuen. In einer großen Pfanne Öl bei mittlerer bis hoher Hitze erhitzen. Hühnchen hinzufügen; anbraten, bis es nicht mehr rosa ist. Herausnehmen und warm halten.

b) In derselben Pfanne die Zwiebel in Butter bei mittlerer Hitze 2 Minuten anbraten. Pilze unterrühren; 4-5 Minuten länger kochen, bis es weich ist. Knoblauch hinzufügen; kochen und 2 Minuten rühren.

c) Brühe, 1/2 Tasse Wein und Pfeffer einrühren; zum Kochen bringen. Maisstärke und restlichen Wein glatt rühren; In die Pfanne rühren. Zum Kochen bringen; kochen und rühren, bis es eingedickt ist, etwa 2 Minuten. Schinken und Hühnchen unterrühren.

d) Backofen auf 350° vorheizen. Ricotta-Käse, Spinat, italienische Käsemischung, 3/4 Tasse Parmesankäse, Eier und die restlichen italienischen Gewürze vermischen. Verteilen Sie 1 Tasse Hühnermischung in einer gefetteten 13 x 9 Zoll großen Schüssel. Backform. Mit 3 Nudeln, etwa 3/4 Tasse Hühnermischung und etwa 1 Tasse Ricotta-Mischung belegen. Wiederholen Sie die Schichten dreimal.

e) Zugedeckt 40 Minuten backen. Mit restlichem Parmesankäse bestreuen. Ohne Deckel 10–15 Minuten backen, bis der Auflauf Blasen bildet und der Käse geschmolzen ist. Vor dem Schneiden 10 Minuten stehen lassen.

94. Power-Lasagne

Zutat

- 9 Vollkorn-Lasagne-Nudeln
- 1 Pfund mageres Rinderhackfleisch (90 % mager)
- 1 mittelgroße Zucchini, fein gehackt
- 1 mittelgroße Zwiebel, fein gehackt
- 1 mittelgroße grüne Paprika, fein gehackt
- 3 Knoblauchzehen, gehackt
- 1 Glas (24 Unzen) fleischlose Nudelsauce
- 1 Dose (14-1/2 Unzen) gewürfelte Tomaten ohne Salzzusatz, abgetropft
- 1/2 Tasse lose verpackte Basilikumblätter, gehackt
- 2 Esslöffel gemahlener Leinsamen
- 5 Teelöffel italienisches Gewürz
- 1/4 Teelöffel Pfeffer
- 1 Karton (15 Unzen) fettfreier Ricotta-Käse
- 1 Packung (10 Unzen) gefrorener gehackter Spinat, aufgetaut und trocken ausgedrückt
- 1 großes Ei, leicht geschlagen
- 2 Esslöffel weißer Balsamico-Essig
- 2 Tassen geriebener teilentrahmter Mozzarella-Käse
- 1/4 Tasse geriebener Parmesankäse

Richtungen

a) Backofen auf 350° vorheizen. Nudeln nach Packungsanleitung kochen. Inzwischen in einem 6-qt. Suppentopf, Rindfleisch, Zucchini, Zwiebeln und grüne Paprika bei mittlerer Hitze kochen, bis das Rindfleisch nicht mehr rosa ist, dabei das Rindfleisch in Streusel zerkleinern. Knoblauch hinzufügen; 1 Minute länger kochen. Abfluss.

b) Nudelsauce, Tomatenwürfel, Basilikum, Flachs, italienische Gewürze und Pfeffer einrühren; allerdings Hitze. Nudeln abgießen und in kaltem Wasser abschrecken.

c) In einer kleinen Schüssel Ricotta, Spinat, Ei und Essig vermischen. Verteilen Sie 1 Tasse Fleischmischung in einem 13 x

9 Zoll großen Backblech. Mit Kochspray bestrichene Auflaufform Mit drei Nudeln, 2 Tassen Fleischmischung, 1 1/4 Tassen Ricotta Käse-Mischung und 2/3 Tasse Mozzarella-Käse belegen Wiederholen Sie die Schichten. Mit den restlichen Nudeln, de Fleischmischung und dem Mozzarella-Käse belegen; Mi Parmesankäse bestreuen.

d) Zugedeckt 30 Minuten backen. Ohne Deckel 10–15 Minuten länger backen oder bis der Käse geschmolzen ist. Vor dem Servieren 10 Minuten stehen lassen.

95. Fettuccine-Garnelen-Auflauf

Zutat

- 6 Unzen ungekochte Fettuccine
- 1 großes Ei
- 3/4 Tasse halbe Sahne
- 1/2 Tasse Sauerrahm
- 1/2 Teelöffel Salz
- 2 Tassen geriebener Cheddar-Käse
- 1/4 Tasse gehackte grüne Chilis aus der Dose
- 3 Frühlingszwiebeln, in dünne Scheiben geschnitten
- Je 1 Esslöffel gehackter frischer Koriander, Basilikum und Majoran
- 1 Pfund ungekochte Garnelen (31-40 pro Pfund), geschält und entdarmt oder gefrorenes gekochtes Langustenschwanzfleisch, aufgetaut
- 1 Tasse Salsa
- 1/2 Tasse geriebener Pfeffer-Jack-Käse
- 2 Tassen Tortillachips, zerkleinert
- 2 Pflaumentomaten, gehackt
- 1 mittelreife Avocado, geschält und in Scheiben geschnitten

Richtungen

a) Backofen auf 350° vorheizen. Fettuccine nach Packungsanweisung kochen. In einer großen Schüssel Ei, Sahne, Sauerrahm und Salz verquirlen. Cheddar-Käse, Chilis, Frühlingszwiebeln und Kräuter unterrühren. Fettuccine abtropfen lassen.

b) In einem gefetteten 13x9-Zoll-Format. In die Auflaufform die Hälfte der Fettuccine, Garnelen, Sahnemischung und Salsa schichten. Wiederholen Sie die Schichten.

c) Zugedeckt 35 Minuten backen. Mit Pepper-Jack-Käse, Chips und Tomaten bestreuen. Ohne Deckel weitere 5–10 Minuten backen oder bis sich Blasen bilden und der Käse geschmolzen ist. Mit Avocadoscheiben servieren.

96. Artischocken-Spinat-Lasagne

Zutat

- 1 Esslöffel Olivenöl
- 1 kleine Zwiebel, gehackt
- 1/2 Tasse geschnittene frische Champignons
- 4 Knoblauchzehen, gehackt
- 1 Dose (14-1/2 Unzen) Gemüse- oder Hühnerbrühe
- 1 Dose (14 Unzen) mit Wasser gefüllte Artischockenherzen, abgetropft und grob gehackt
- 1 Packung (10 Unzen) gefrorener gehackter Spinat, aufgetaut und trocken ausgedrückt
- 1 Teelöffel getrockneter Rosmarin, zerstoßen
- 1/4 Teelöffel gemahlene Muskatnuss
- 1/4 Teelöffel Pfeffer
- 1 Glas (16 Unzen) geröstete Knoblauch-Parmesan- oder geröstete Knoblauch-Alfredo-Sauce

Montage:

- 12 Lasagne-Nudeln ohne Kochen
- 3 Tassen geriebener teilentrahmter Mozzarella-Käse
- 1 Tasse zerbröselter Tomaten-Basilikum-Feta-Käse oder Feta-Käse
- 1/8 Teelöffel Knoblauchpulver
- Je 1/8 Teelöffel getrockneter Oregano, Petersilienflocken und Basilikum

Richtungen

a) Backofen auf 350° vorheizen. In einem großen Topf Öl bei mittlerer bis hoher Hitze erhitzen. Zwiebeln und Pilze hinzufügen; kochen und rühren, bis es weich ist. Knoblauch hinzufügen; 1 Minute länger kochen. Brühe, Artischocken, Spinat, Rosmarin, Muskatnuss und Pfeffer einrühren; kurz zum Kochen bringen. Hitze reduzieren; 5 Minuten köcheln lassen, dabei gelegentlich umrühren. Alfredo-Sauce einrühren; Vom Herd nehmen.

b) Verteilen Sie 1 Tasse Soße in einer gefetteten 13 x 9 Zoll großen Schüssel. Backform. Mit 3 Nudeln und 2/3 Tasse Mozzarella belegen. Wiederholen Sie die Schichten dreimal. Mit restlicher Soße und Mozzarella-Käse belegen. Mit Fetakäse, Knoblauchpulver und Kräutern bestreuen.

c) Zugedeckt 40 Minuten backen. Unbedeckt 15 Minuten länger backen oder bis die Nudeln weich sind. Vor dem Servieren 10 Minuten stehen lassen.

97. Lasagne nach Texas-Art

Zutat

- 1 1/2 Pfund Rinderhackfleisch
- 1 Teelöffel Gewürzsalz
- 1 Packung (1-1/4 Unzen) Taco-Gewürz
- 1 Dose (14-1/2 Unzen) gewürfelte Tomaten, nicht abgetropft
- 1 Dose (15 Unzen) Tomatensauce
- 1 Dose (4 Unzen) gehackte grüne Chilis
- 2 Tassen 4 % Hüttenkäse
- 2 große Eier, leicht geschlagen
- 12 Maistortillas (6 Zoll), zerrissen
- 3 1/2 bis 4 Tassen geriebener Monterey-Jack-Käse
- Optionale Beläge: Zerkleinerte Tortillachips, Salsa und gewürfelte Avocado

Richtungen

a) In einer großen Pfanne das Rindfleisch bei mittlerer Hitze anbraten, bis es nicht mehr rosa ist. Abfluss. Gewürzsalz, Taco-Gewürz, Tomaten, Tomatensauce und Chilis hinzufügen. Hitze reduzieren; Ohne Deckel 15–20 Minuten köcheln lassen. In einer kleinen Schüssel Hüttenkäse und Eier vermischen.

b) In einem gefetteten 13x9-Zoll-Format. In die Auflaufform jeweils die Hälfte der folgenden Zutaten schichten: Fleischsoße, Tortillas, Hüttenkäsemischung und Monterey-Jack-Käse. Wiederholen Sie die Schichten.

c) Ohne Deckel 30 Minuten bei 350 °C backen oder bis sich Blasen bilden. Vor dem Servieren 10 Minuten stehen lassen. Nach Belieben mit Toppings garnieren.

d) Einfrieroption: Lasagne vor dem Backen abdecken und bis zu 3 Monate einfrieren. Über Nacht im Kühlschrank auftauen lassen. 30 Minuten vor dem Backen aus dem Kühlschrank nehmen. Wie angegeben backen und dabei die Zeit verlängern, bis ein Thermometer 160° anzeigt.

98. Traditionelle Lasagne

Zutat

- 1 Pfund Rinderhackfleisch
- 3/4 Pfund große Schweinswurst
- 3 Dosen (je 8 Unzen) Tomatensauce
- 2 Dosen (je 6 Unzen) Tomatenmark
- 2 Knoblauchzehen, gehackt
- 2 Teelöffel Zucker
- 1 Teelöffel italienisches Gewürz
- 1/2 bis 1 Teelöffel Salz
- 1/4 bis 1/2 Teelöffel Pfeffer
- 3 große Eier
- 3 Esslöffel gehackte frische Petersilie
- 3 Tassen 4 % kleiner Hüttenkäse
- 1 Tasse Ricotta-Käse
- 1/2 Tasse geriebener Parmesankäse
- 9 Lasagne-Nudeln, gekocht und abgetropft
- 6 Scheiben Provolone-Käse (ca. 6 Unzen)
- 3 Tassen geriebener teilentrahmter Mozzarella-Käse, geteilt

Richtungen

a) In einer großen Pfanne bei mittlerer Hitze das Rindfleisch und die Wurst kochen und zerkrümeln, bis sie nicht mehr rosa sind. Abfluss. Fügen Sie die nächsten 7 Zutaten hinzu. Zum Kochen bringen. Hitze reduzieren; Ohne Deckel 1 Stunde köcheln lassen, dabei gelegentlich umrühren. Bei Bedarf mit zusätzlichem Salz und Pfeffer abschmecken.

b) In der Zwischenzeit in einer großen Schüssel die Eier leicht schlagen. Petersilie hinzufügen; Hüttenkäse, Ricotta und Parmesankäse unterrühren.

c) Backofen auf 375° vorheizen. Verteilen Sie 1 Tasse Fleischsauce in einem ungefetteten 13 x 9 Zoll großen Backblech. Backform. Mit 3 Nudeln, Provolone-Käse, 2 Tassen Hüttenkäsemischung, 1 Tasse Mozzarella, 3 Nudeln, 2 Tassen Fleischsoße, der restlichen Hüttenkäsemischung und 1 Tasse Mozzarella belegen. Mit den restlichen Nudeln, Fleischsoße und Mozzarella belegen (das Gericht wird dann voll sein).

d) Abdeckung; 50 Minuten backen. Aufdecken; backen, bis es durchgeheizt ist, etwa 20 Minuten. Vor dem Schneiden 15 Minuten stehen lassen.

99. Potluck-Wurstauflauf

Zutat

- 1 Packung (16 Unzen) Penne-Nudeln
- 1 Pfund große italienische Wurst
- 1 Esslöffel Butter
- 1 Esslöffel Olivenöl
- 1 mittelgroße Zwiebel, fein gehackt
- 1 mittelgroße Karotte, fein gehackt
- 1-1/2 Teelöffel getrockneter Oregano
- 1 Teelöffel Salz
- 1/2 Teelöffel Pfeffer
- 1 kleine Zucchini, der Länge nach halbiert und in Scheiben geschnitten
- 1 Tasse gehackte frische Pilze
- 6 Knoblauchzehen, gehackt
- 1 Dose (15 Unzen) Tomatensauce
- 1 Glas (14 Unzen) Nudelsauce mit Fleisch
- 2 Tassen geriebener teilentrahmter Mozzarella-Käse

Richtungen

a) Backofen auf 350° vorheizen. Nudeln nach Packungsanweisung al dente kochen; abtropfen lassen und in eine gefettete 13 x 9 Zoll große Schüssel geben. Backform. In der Zwischenzeit die Wurst in einer großen Pfanne bei mittlerer Hitze 6–8 Minuten kochen, bis sie nicht mehr rosa ist, und dabei in Streusel zerfallen. abtropfen lassen und aus der Pfanne nehmen.

b) In derselben Pfanne Butter und Öl bei mittlerer bis hoher Hitze erhitzen. Zwiebel, Karotte, Oregano, Salz und Pfeffer hinzufügen; kochen und 5 Minuten rühren. Zucchini, Pilze und Knoblauch hinzufügen; 6-8 Minuten länger kochen und rühren, bis das Gemüse weich ist.

c) Tomatensauce, Nudelsauce und Wurst unterrühren; über die Nudeln gießen. Mit Käse bestreuen (das Gericht wird voll sein). Decken Sie den Auflauf mit einem mit Kochspray beschichteten Stück Folie ab. 10 Minuten backen. Aufdecken; 15–20 Minuten länger backen, bis der Käse goldbraun ist und der Käse geschmolzen ist. Vor dem Servieren 10 Minuten stehen lassen.

100. Bohnenlasagne

Ausbeute: 4 Portionen

Zutat

- 1 Esslöffel Pflanzenöl
- 1 Tasse Gehackte Zwiebel
- 3 Knoblauchzehen, gehackt
- 1 14 oz. Dose Tomatensoße
- 1 kleine Dose Tomatenmark
- 3 Esslöffel Oregano
- 2 Esslöffel Basilikum
- ½ Teelöffel Paprika
- 1½ Tasse gemischte Bohnen
- 1½ Tasse fettarmer Hüttenkäse
- 2 Tassen fettarmer Mozzarella [gerieben]
- 1 Ei
- 8 Lasagne-Nudeln [gekocht]
- 1 Teelöffel Korianderblätter [gehackt]
- 2 Esslöffel Parmesankäse

Richtungen

a) Bohnen vier bis acht Stunden einweichen. Den Topf mit Wasser bedecken und die Bohnen zum Kochen bringen. 30 – 40 Minuten köcheln lassen. Öl erhitzen, Zwiebel und Knoblauch anbraten, bis sie weich sind.

b) Tomatensauce, Tomatenmark, Oregano, Basilikum, Paprika und gekochte, abgetropfte Bohnen hinzufügen. Zum Kochen bringen, Hitze reduzieren, 8 – 10 Minuten köcheln lassen.

c) Korianderblätter hinzufügen. Heizen Sie den Ofen auf 325 F vor. Kombinieren Sie Hüttenkäse, Mozzarella und Ei. In eine gefettete Lasagnepfanne eine Schicht Nudeln, eine Schicht Bohnenmischung und eine Schicht Käsemischung geben. Fahren Sie fort, abwechselnd Nudeln, Bohnen und Käse, und schließen Sie mit einer Schicht Käse darüber ab.

d) Parmesankäse über die oberste Schicht streuen. 40 Minuten bei 325 F backen.

ABSCHLUSS

Lasagne ist ein klassisches italienisches Gericht, das in vielen Teilen der Welt zu einem beliebten Gericht geworden ist und wegen seines reichen Geschmacks und seiner wohltuenden Natur geschätzt wird. Die Schichten aus Nudeln, Käse und Soße ergeben zusammen eine sättigende und köstliche Mahlzeit, die für jeden Anlass perfekt ist. Mit unzähligen Variationen und Individualisierungsmöglichkeiten ist Lasagne ein Gericht, das jeder genießen kann. Ganz gleich, ob Sie sie lieber mit Fleisch, Gemüse oder einer Mischung aus beidem genießen: Lasagne ist ein vielseitiges und köstliches Gericht, das auch in den kommenden Generationen ein beliebter Klassiker bleiben wird.

www.ingramcontent.com/pod-product-compliance
Ingram Content Group UK Ltd.
Pitfield, Milton Keynes, MK11 3LW, UK
UKHW020630030225
4412UKWH00044B/832

9 781835 510728